Η Ανασυγκροτηση Της
Μεταπολεμικης Ελληνικης Ναυτιλιας

100
&
7

Restructuring Greek Shipping
After World War II

*Αφιερώνεται σε όσους συνέβαλαν με οποιονδήποτε τρόπο
στην ανασυγκρότηση του καθημαγμένου Ελληνικού εμπορικού στόλου
μετά την λαίλαπα του Δευτέρου Παγκοσμίου Πολέμου.*

*Ιδιαίτερα όμως στους Έλληνες ναυτικούς
που με την απαράμιλλη ναυτοσύνη και το μόχθο τους,
συνέβαλαν αποφασιστικά στην εδραίωση της πατρίδας μας
ως κορυφαίας ναυτιλιακής δύναμης του κόσμου.*

*This book is dedicated to all those who have, in any way,
contributed towards the restructuring
of the diminished Greek merchant fleet in the aftermath of World War II.*

*Especially to the Greek seafarers
who, with unstinting dedication, excellent seamanship and hard work,
have significantly contributed in the consolidation of our country
as the World's leading maritime nation.*

ΓΙΩΡΓΟΣ Μ. ΦΟΥΣΤΑΝΟΣ • GEORGE M. FOUSTANOS

Η Ανασυγκροτηση Της Μεταπολεμικης Ελληνικης Ναυτιλιας

100
&
7

Restructuring Greek Shipping After World War II

ΠΕΙΡΑΙΑΣ, ΜΑΪΟΣ 1996 • PIRAEUS, MAY 1996

ΠΕΡΙΕΧΟΜΕΝΑ • CONTENTS

ΕΥΧΑΡΙΣΤΙΕΣ

Η έκδοση αυτή υπήρξε για μένα όραμα πολλών ετών και η πραγματοποίησή της ένα δύσκολο εγχείρημα, για την επίτευξη του οποίου οφείλω πολλές ευχαριστίες. Θα ήθελα λοιπόν, καταρχάς, να απευθύνω τις πιο θερμές μου ευχαριστίες στο *Ναυτικό Μουσείο Οινουσσών* και ιδιαίτερα στον πρόεδρό του και, πάνω απ᾽ όλα, καλό μου φίλο, *Νικόλα Σπύρου Λαιμό*, πιστό υπηρέτη της ναυτικής μας παράδοσης, για την αμέριστη όσο και πολύτιμη συμπαράστασή του από την πρώτη στιγμή που ξεκίνησε το δύσκολο έργο της υλοποίησής της.

Το λεύκωμα χαρακτηρίζεται από το πλήθος και την ποικιλία των φωτογραφιών που συνθέτουν το ιστορικό των πλοίων που περιγράφονται. Θεωρώ, επομένως, χρέος μου, να ευχαριστήσω ιδιαίτερα τους επικεφαλής της *FOTOFLITE*, καθώς και τον *A. Duncan*, που επέτρεψαν τη δημοσίευση σπουδαίων φωτογραφιών των οποίων έχουν την αποκλειστικότητα. Παράλληλα, δράττομαι της ευκαιρίας να τους εκφράσω τη βαθειά μου εκτίμηση για το σημαντικό έργο το οποίο επιτελούν, επί μακρά σειρά ετών, φωτογραφίζοντας και διατηρώντας αρχεία του παγκόσμιου στόλου. Η συμβολή τους στη διατήρηση της ιστορικής μνήμης είναι ασφαλώς ανεκτίμητη. Με το ίδιο σκεπτικό, θέλω να ευχαριστήσω το *Welsh Industrial & Maritime Museum*, καθώς και τους *Laurence Dunn, Ambrose Greenway, Thomas B. Ellsworth Jr.* και *Αναστάσιο Τζαμτζή*, οι οποίοι είχαν την καλοσύνη να μου δανείσουν φωτογραφικό υλικό από τις πολύτιμες συλλογές τους.

Θα ήθελα να ευχαριστήσω τον *Μιχάλη Ματαντό*, για την πρόθυμη, όσο και πραγματικά ανεκτίμητη, συμβολή του στο έργο της εξεύρεσης φωτογραφικών και άλλων ιστορικών ντοκουμέντων γύρω από τα Λίμπερτυς. Τη *Τζελίνα Χαρλαύτη*, για τον πολύτιμο χρόνο που διέθεσε για την εξεύρεση φωτογραφιών και ιστορικών στοιχείων, καθώς και για τις χρήσιμες παρατηρήσεις και συμβουλές της γύρω από την έκδοση. Το *Χρήστο Ντούνη*, για τη συμβολή του στο έργο της εξεύρεσης στοιχείων για τους Έλληνες αξιωματικούς που παρέλαβαν τα Λίμπερτυς. Το *Στέλιο Νιώτη*, για τις ουσιαστικές παρατηρήσεις και πολύτιμες συμβουλές του για τα κείμενα, ελληνικά και αγγλικά. Τη *Shelagh Ingledow* για τη βοήθειά της στη διαμόρφωση ορισμένων από τα αγγλικά κείμενα. Το *Γιάννη Θεοτοκά*, ο οποίος βοήθησε στη διαμόρφωση του ευρετηρίου.

Πολλές ευχαριστίες οφείλω στους: *Καλλιόπη Βαλμά, Διονύσιο Βρέκοση, Στάθη Βροντίση, Πέτρο Ν. Γουλανδρή, Γιώργο Γράτσο, Απόστολο Δούκα, Αντώνη Κάστανο, Μίνω Κομνηνό, Αλέξανδρο Μαλλιαρουδάκη, Ηλία Μπαχά, Γιάννη Μουστακαρία, Σίμο Παληό, Κατίγκω Παυλίδη, Δημήτρη Πολέμη, Φώτη Πουλίδη, Γιάννη Τσούρα, Νίκο Φήκαρη* και *Νίκο Φιλάρετο*, οι οποίοι, ιδιαιτέρως, ενδιαφέρθηκαν και φρόντισαν για τη συλλογή σπουδαίου φωτογραφικού υλικού. Ευχαριστώ επίσης τον *Γιώργο Γκαρδιακό* και τον *Richard Stone* για το ενδιαφέρον τους.

Ευχαριστώ τους *Γιώργο Αμπουσελάμ, Νίκο Απόδιακο, Λεωνίδα Βαλμά, Μιχάλη Βελώνια, Νίκο Βεργωτή, Νίκο Βλασσόπουλο, Μάρκο Βοριά, Στάθη Βουμβλινόπουλο, Γιάννη Γκούμα, Μηνά Γκούμα, Γιάννη Δάμπαση, Γιάννη Διακάκη, Μαρία Δοξιάδη, Ελένη Δώριζα, Νίκο και Θωμά Επιφανιάδη, Στέλιο Ευσταθίου, Δαμιανό Ζαννάρα, Κώστα Ηλιόπουλο, Γιώργο Ησαΐα, Γιώργο Ιβο, Νικόλαο και Μίμη Ιγγλέση, Κωνσταντίνο Καββαδία, Μανώλη Καβουσανάκη, Νικόλαο Καΐρη, Στέφανο Καλαργυρό, Ειρήνη Καλαφάτη, Γιώργο Καραβία, Ντόρα Καρέλλα, Γιάννη Μ. Καρρά, Κώστα Ι. Καρρά, Ηλία Μ. Κουλουκουντή, Στάθη Ι. Κουλουκουντή, Μαρία Θεοδώρου-Κουτέπα, Γεράσιμο Κωνσταντάτο, Γιάννη Κωστή, Κώστα Π. Λαιμό, Άγγελο Λουδάρο, Γιάννη Κ. Λύρα, Ματθαίο Δ. Λω, Τζώρτζη και Τηλέμαχο Μαράτο, Ντίνο Μαρίνο, Αθηνά Μάρκου, Γιάννη*

Μαύρο, Ελένη Μαύρου, Κική Μεταξά, Πόπη Μιχάλου, Λιλίκα Μωραΐτη, Δημήτρη Νεγρεπόντη, Βασίλη Πανταλέων, Θωμά Παξινό, Δημήτρη Παπαγιαννάκη, Ματθαίο Παράβαλο, Αναστάση Πατέρα, Δημήτρη Κ. Πατέρα, Μιράντα Πατέρα, Νικόλαο Δ. Πατέρα, Λίνα Πιλαβίου, Αντώνη Πιπέρα, Λευτέρη Πολέμη, Σπύρο Ράνη, Κώστα Ραφτάκη, Μιχαήλ Ροδιάδη, Μιχάλη Σβώκο, Γιώργο Σιγάλα, Ζαχαρία και Νίκο Σιτινά, Βασίλειο και Κώστα Σκαρβέλη, Αθηνά Συρίμη, Παναγιώτη Τσάκο, Κώστα και Λουκή Φαψαλιό, Μάρκο Φράγκο, Δημήτρη Χατζαντωνάκη, Απόστολο Χατζηελευθεριάδη, Μανώλη Χατζηλία, Γιάννη Αδ. Χατζηπατέρα, Νίκο Ι. Χατζηπατέρα και Μανώλη Ψύλλα, για τις φωτογραφίες που μου εμπιστεύτηκαν από τα προσωπικά τους αρχεία. Οι ίδιες ευχαριστίες απευθύνονται και σε όσους από παραδρομή λησμόνησα να αναφέρω.

Σε όλη τη διάρκεια του επίπονου αυτού έργου, είχα θερμούς συμπαραστάτες τους συνεργάτες μου στη ΔΙΟΠΤΡΑ ΔΙΑΦΗΜΙΣΤΙΚΗ, Βάλια Κρουστάλη, Μαρία Μαραζιώτη, Χρυσούλα Ξάνθη, Γιώργο Διπλάρο, Κώστα Πανταζή και Σάββα Σίκαλη. Τους ευχαριστώ θερμά, γιατί χάρη στην προσήλωση στα καθήκοντά τους μου έδωσαν τη δυνατότητα να ασχοληθώ απερίσπαστος με το έργο αυτής της έκδοσης. Ευχαριστώ ιδιαίτερα το Γιώργο Λουκόπουλο, του οποίου η συμπαράσταση και οι συμβουλές υπήρξαν για μένα πολύτιμες.

Πολλές ευχαριστίες, αλλά και πολλά συγγνώμη οφείλω στη γυναίκα μου Ολγα και στον γιο μου Μιχαήλ. Αφιέρωσα πάρα πολύ χρόνο που τους ανήκε, για την πραγματοποίηση αυτής της έκδοσης. Η αγάπη και η κατανόησή τους μου έδωσαν πολλές δυνάμεις.

Οφείλω, τέλος, να αναφερθώ σε δύο νέες κοπέλες οι οποίες στάθηκαν με αφοσίωση κοντά μου και συνέβαλαν αποφασιστικά, ιδιαίτερα τους τελευταίους κρίσιμους μήνες, στην υλοποίηση αυτής της έκδοσης χάρη στην εργατικότητα και το ταλέντο τους. Τη Φαίη Φραγκέδη, η οποία είχε την ευθύνη του δύσκολου έργου της ταξινόμησης, επεξεργασίας και διεκπεραίωσης των φωτογραφικών και άλλων ντοκουμέντων και την Ειρήνη Αλιφραγκή, η οποία πραγματοποίησε με εξαιρετική επιμέλεια την επεξεργασία των φωτογραφιών και την ηλεκτρονική σελιδοποίηση. Τις ευχαριστώ και τις δύο θερμά που με βοήθησαν τόσο πολύ να ζήσω τη μοναδική εμπειρία μιας ιδιόμορφης "ναυπήγησης" 107 ιστορικών πλοίων, μισό ακριβώς αιώνα μετά την παράδοσή τους στους Ελληνες.

Γιώργος Μ. Φουστάνος
Μάιος 1996

ACKNOWLEDGEMENTS

The publication of this book has been a "dream come true" for me. So many have helped and encouraged me over a long time to whom I owe a special debt of gratitude.

I must thank the *Oinoussian Maritime Museum* and especially its chairman and good friend of mine, *Nicolas S. Lemos*, a dedicated supporter of all efforts aiming at the preservation of our maritime tradition. His warm support throughout all stages concerning this publication, has been invaluable.

This book is characterised by the number and the variety of pictures which form the history of the ships described herein. I therefore feel obliged to thank the principals of *FOTOFLITE* as well as *A. Duncan*, who permitted the publication of fine photographs, in their copyright. At the same time, I would like to take the opportunity to express to them both my deep appreciation for the important work they have accomplished over the years; by photographing and especially maintaining records of the World's merchant fleets. Their contribution towards the preservation of historical data is, certainly, unique. For the same reason, I would like to thank the *Welsh Industrial & Maritime Museum*, as well as *Laurence Dunn*, *Ambrose Greenway*, *Thomas B. Ellsworth Jr.* and *Anastassios Tzamtzis*, who were most kind in lending me photographs from their precious collections.

I am grateful to *Michael Matantos*, for his contribution in enabling me to locate important photographs and other material, concerning the Liberty vessels. *Gelina Harlaftis*, who spent a lot of her valuable time to assist me in finding photographs and various documents and even more for her useful comments and advise concerning the publication. *Christos Dounis*, who helped me to identify, the Greek officers who took over the Liberties. *Stelios Niotis*, for his valuable comments and instructive advice concerning both the greek and english texts. *Shelagh Ingledow* for her assistance in restructuring some of the english texts. *John Theotokas*, for indexing a complicated list of vessels.

I offer my sincere thanks to *Kalliopi Valmas, Dionyssios Vrecossis, Stathes Vrondissis, Peter N. Goulandris, George Gratsos, Apostolos Doucas, Antonis Castanos, Minos Komninos, Alexandros Malliaroudakis, Elias Bachas, Ioannis Moustakarias, Simon Palios, Katingo Pavlides, Demetrios Polemis, Fotis Poulides, John Tsouras, Nicolas Fikaris* and *Nicos Filaretos*, who showed keen interest in assisting me to locate and collect various pictures. I also thank *George Gardiakos*, and *Richard Stone*, who helped me to acquire useful information concerning the Liberties.

I thank *George Ambouselam, Nicos Apodiakos, Leonidas Valmas, Michael Velonias, Nicos Vergottis, Nicos Vlassopulos, Markos Vorias, Stathes Voumvlinopoulos, John Goumas, Minas Goumas, John Dambassis, John Diakakis, Maria Doxiadis, Eleni Doriza, Nicos and Thomas Epiphaniades, Stelios Eustathiou, Damianos Zannaras, Costas Iliopoulos, George Isaias, George Ivos, Nicolaos and Mimis Inglessis, Constantinos Cavadias, Manolis Kavoussanakis, Nicolaos Kairis, Stephanos Kalargyros, Irini Kalafati, George Cavadias, Dora Karella, John M. Carras, Costas J. Carras, Elias M. Culucundis, Stathes J. Kulukundis, Maria Theodorou- Koutepa, Gerassimos Constantatos, John Costis, Costas P. Lemos, Angelos Loudaros, John C. Lyras, Matheos D. Los, George and Tilemachos Maratos, Dinos Marinos, Athina Markou, John Mavros, Eleni Mavros, Kiki Metaxa, Popi Michalos, Lilika Moraitis, Demetrios Negroponte, Vassilios Pantaleon, Thomas Paxinos,*

Demetrios Papagiannakis, Matheos Paravalos, Anastassis Pateras, Demetrios C. Pateras, Miranda Pateras, Nicolaos D. Pateras, Lina Pilaviou, Antonis Piperas, Lefteris Polemis, Spyros Ranis, Costas Raftakis, Michael Rodiadis, Michael Svokos, George Sigalas, Zacharias and Nicos Sitinas, Vassilios and Costas Skarvelis, Athina Syrimis, Panaghiotis Tsakos, Costas and Loukis Fafalios, Markos Frangos, Demetrios Hadjantonakis, Apostolos Hadjieleftheriades, Manolis Hadjilias, John Ad. Hadjipateras, Nicos J. Hadjipateras and Manolis Psylas, for lending me precious photographs.

I was privileged throughout this effort to have been assisted by my associates in DIOPTRA ADVERTISING.
Valia Kroustalis, Maria Maraziotis, Chryssoula Xanthis, George Diplaros, Costas Pantazis and Savvas Sikalis. They have worked hard so as to make time for me to complete in time the finer details of this publication. I especially thank *George Loucopoulos,* whose advices have been invaluable.

My wife *Olga* and my young son *Michael,* deserve both my thanks as well as apologies. I have spent a lot of my time which rightfully belongs to them, in order to succeed in publishing this book in time. Their love and understanding offered me extra courage and strength.

A couple of hard working and talented young ladies who stood by me throughout this daunting task and contributed decisively, especially, during the last crucial stages deserve special thanks. *Faye Frangedis,* was responsible for putting succesfully together all the available material for this publication and *Irini Alifragi,* who did an excellent job, taking care of the electronic layout. I thank them both of them sincerely for helping me so much in experiencing an extraordinary "building" of 107 historic ships, exactly half a century after their delivery to Greek shipowners.

George M. Foustanos
May, 1996

Π ριν από μισό ακριβώς αιώνα, γράφτηκαν στα ελληνικά νηολόγια, μαζικά σχεδόν, 100 εμπορικά πλοία, γνωστά ως Λίμπερτυς. Εξυπηρέτησαν με συνέπεια επί 25 περίπου χρόνια τις παγκόσμιες θαλάσσιες μεταφορές, πριν περάσουν οριστικά στην ιστορία. Οι Έλληνες που τα έζησαν, τα αποκαλούν "ευλογημένα", αρκετοί μάλιστα αναφέρονται σ' αυτά σαν να υπήρξαν ουσιαστικά η αρχή της ιστορίας της ελληνικής ναυτιλίας. Υπερβολική, ασφαλώς, άποψη αν αναλογισθεί κανείς ότι οι έλληνες εφοπλιστές είχαν αναπτύξει αξιόλογο εμπορικό στόλο, αρκετές δεκαετίες πριν από τη ναυπήγηση του πρώτου Λίμπερτυ.

Άλλοι πάλι αναφέρονται στη μεγάλη θυσία της εμπορικής μας ναυτιλίας στη διάρκεια του Δευτέρου Παγκοσμίου Πολέμου, ο οποίος στοίχισε στην πατρίδα μας περισσότερες από 2.000 ψυχές σπουδαίων ναυτικών και την απώλεια του 75% του στόλου της, ωστόσο λίγοι γνωρίζουν τι ήταν αυτός ο στόλος και το κυριότερο πώς είχε δημιουργηθεί. Δεν είναι ευρύτερα γνωστό ότι λίγα χρόνια πριν τον Πόλεμο, όταν ακόμα το βρετανικό άστρο μεσουρανούσε στο ναυτιλιακό στερέωμα, ο Σταύρος Λιβανός, οι Κουλουκουντήδες, ο Πνευματικός με τους Ρεθύμνηδες, ο Νικολάου και άλλοι σημαντικοί έλληνες εφοπλιστές της εποχής ναυπηγούσαν πρωτοποριακά πλοία στα αγγλικά ναυπηγεία. Ακόμα λιγότεροι γνωρίζουν για τις ναυπηγήσεις των Σταθάτων, του Μωραΐτη, των Εμπειρίκων, του Βάτη, του Λυκιαρδόπουλου, των Δρακούληδων, του Κυριακίδη, των Βεργωτήδων και άλλων, στη διάρκεια του πρώτου τέταρτου του αιώνα. Και ασφαλώς, είναι ελάχιστοι εκείνοι οι οποίοι γνωρίζουν ότι ο ελληνισμός οφείλει χάριτες στους αδελφούς Βαλλιάνους, όχι μόνο επειδή δημιούργησαν την Εθνική Βιβλιοθήκη, αλλά και για τις πρωτοποριακές τους ναυπηγήσεις στην Αγγλία του 19ου αιώνα, οι οποίες αδιαμφισβήτητα αποτέλεσαν το εφαλτήριο για την ανάπτυξη της ελληνικής ατμήρους ναυτιλίας και τη μετεξέλιξη πολλών διακεκριμένων ελλήνων πλοιάρχων της εποχής εκείνης σε σημαντικούς εφοπλιστές του 20ου αιώνα.

Με όλα τα παραπάνω δεδομένα, δεν είναι περίεργο το γεγονός ότι όταν οι νεότεροι μιλούν για τα Λίμπερτυς, δεν είναι σε θέση να εκτιμήσουν ότι, εάν δεν είχε συμβεί ο Πόλεμος και οι Έλληνες συνέχιζαν την αλματώδη ανάπτυξη που επεδείκνυαν στα τέλη τής δεκαετίας του 1930, η σημερινή παγκόσμια πρωτιά στη ναυτιλία θα είχε κατακτηθεί από τους Έλληνες πολύ ενωρίτερα.

Παρόλα αυτά, τα Λίμπερτυς αποτελούν ένα ορόσημο για τη ναυτιλία μας, αλλά και σταθμό για τη νεότερη ελληνική ιστορία. Διότι, μετά τη λαίλαπα του Πολέμου, ο μόνος τρόπος για τη διατήρηση της ταυτότητας του κράτους μας ως ναυτικού -στην οποία οφείλει πολλά από τα σημερινά του επιτεύγματα και κυρίως την ένταξή του στην Ευρωπαϊκή Ένωση- ήταν η μαζική απόκτηση εμπορικών πλοίων. Τα 100 Λίμπερτυς προσέφεραν αμέσως απασχόληση σε 3.500 άριστους έλληνες ναυτικούς οι οποίοι, σε αντίθετη περίπτωση, θα είχαν ακολουθήσει άλλα επαγγέλματα ή το πιθανότερο θα είχαν μεταναστεύσει, όπως πολλοί άλλοι συμπατριώτες μας εκείνη την εποχή. Η απόκτηση λοιπόν των Λίμπερτυς δεν λειτούργησε μόνο ως πυρήνας για την ανασυγκρότηση και τη μετέπειτα δημιουργία ενός εντυπωσιακού σε μέγεθος στόλου, αλλά ως το σωσίβιο που διατήρησε ζωντανό το επάγγελμα στο οποίο ο Έλληνας διακρίνεται για τις επιδόσεις του από την αρχαιότητα, το ναυτικό επάγγελμα.

Λίμπερτυ ονομάστηκε συμβολικά ο τύπος ενός φορτηγού πλοίου 10.000 τόννων περίπου, ο οποίος ναυπηγήθηκε μαζικά στις Ηνωμένες Πολιτείες και στον Καναδά κατά τη διάρκεια του Δευτέρου Παγκοσμίου Πολέμου για να καλύψει τις αυξημένες μεταφορικές ανάγκες των Συμμάχων, λόγω των συνεχών απωλειών από τορπιλλισμούς και αεροπορικές επιδρομές φορτηγών πλοίων. Μέσα σε τέσσερα χρόνια, στις Η.Π.Α. μόνο ναυπηγήθηκαν με εκπληκτικούς -ακόμα και για τα σημερινά δεδομένα- ρυθμούς περισσότερα από 2.700 πλοία του συγκεκριμένου τύπου. Η μέθοδος της ναυπήγησης - πολλά προκατασκευασμένα κομμάτια τα οποία συγκολλούντο με την πρωτοποριακή τότε μέθοδο της ηλεκτροσυγκόλλησης, αντί του παραδοσιακού καρφώματος- είχε δημιουργήσει σε πολλούς την πεποίθηση ότι τα Λίμπερτυς ήταν ευπαθή και δεν θα ήταν σε θέση να επιβιώσουν για πολλά χρόνια. Μεταξύ αυτών υπήρξαν και αρκετοί γνωστοί έλληνες εφοπλιστές, οι οποίοι δεν εξεδήλωσαν έγκαιρα την επιθυμία τους να συμπεριληφθούν στους υποψήφιους για την αγορά των πρώτων 100 Λίμπερτυς, τα οποία ζήτησαν οι Έλληνες από τις Ηνωμένες Πολιτείες το 1946.

Στη διάρκεια του πολέμου, αρκετοί έλληνες εφοπλιστές είχαν εγκατασταθεί στις Ηνωμένες Πολιτείες όπου, με επικεφαλής τον Μανώλη Κουλουκουντή, συνέστησαν την Ελληνική Επιτροπή Εφοπλιστών Νέας Υόρκης, μέσω της οποίας συντόνιζαν τη λειτουργία του ελληνικού στόλου. Παράλληλα, ίδρυσαν Οίκο Ναύτου, στη Νέα Υόρκη και στο Χάλιφαξ για την περίθαλψη των ελλήνων ναυτικών οι οποίοι δεν ήταν σε θέση να επιστρέψουν στην Ελλάδα. Μετά από συντονισμένες προσπάθειες, η Επιτροπή επέτυχε να παραχωρηθούν 15 πλοία τύπου Λίμπερτυ, για εκμετάλλευση σε έλληνες εφοπλιστές, τα οποία πλην ενός, του ΕΛΕΥΘΕΡΙΑ, επιβίωσαν του πολέμου.

Αμέσως μετά τη λήξη του πολέμου και με δεδομένες τις τρομακτικές απώλειες του στόλου τους, οι έλληνες εφοπλιστές απευθύνθηκαν αναγκαστικά στην ελληνική κυβέρνηση και ζήτησαν τη συνδρομή της για την απόκτηση πλοίων. Δεν υπήρχε δυνατότητα ναυπηγήσεων, δεδομένου ότι τα αγγλικά ναυπηγεία, τα μόνα ουσιαστικά σε λειτουργία, κατασκεύαζαν, όπως ήταν φυσικό, πλοία για να αναπληρώσουν τις πολεμικές απώλειες των Βρετανών. Επίσης, η αγορά μεταχειρισμένων πλοίων, εκείνη την εποχή, ήταν ουσιαστικά ανύπαρκτη. Μόνο μία λύση υπήρχε, η απόκτηση ορισμένων από τα Λίμπερτυς τα οποία μετά τον πόλεμο είχαν παροπλιστεί από τους Αμερικανούς. Προς την κατεύθυνση αυτή έστρεψαν όλες τους τις προσπάθειες. Κατά ευτυχή συγκυρία, αντιπρόεδρος της τότε κυβερνήσεως ήταν ο Σοφοκλής Βενιζέλος, γνώστης των ναυτιλιακών θεμάτων και υπουργός Εμπορικής Ναυτιλίας ο Νικόλαος Αβραάμ. Οι δύο αυτοί πολιτικοί ενστερνίστηκαν απόλυτα ότι το εθνικό συμφέρον επέβαλε την απόκτηση των πλοίων και εργάστηκαν σκληρά, ιδίως ο δεύτερος, για την ευόδωση της προσπάθειας. Είναι ιδιαίτερα λυπηρό δε, το γεγονός ότι ο Νικόλαος Αβραάμ πέθανε σχεδόν λησμονημένος λίγα χρόνια αργότερα, έχοντας υποστεί την ταπείνωση της κατηγορίας για ένα σκάνδαλο γύρω από την υπόθεση των Λίμπερτυς, το οποίο όμως ουδέποτε απεδείχθη.

Από το Δεκέμβριο του 1946 έως και τον Απρίλιο του 1947, συνολικά 98 Λίμπερτυς, συμπεριλαμβανομένων των 14 τα οποία είχαν διαχειριστεί οι Ελληνες στη διάρκεια του πολέμου, καθώς και άλλα δύο μικρότερα φορτηγά πλοία, τα οποία όμως πέρασαν στην ιστορία ως Λίμπερτυς, αγοράστηκαν από έλληνες εφοπλιστές, αντί τιμήματος 580.000 δολλαρίων το καθένα. Από το ποσό αυτό κατεβλήθη σε μετρητά το 25%, ενώ η αποπληρωμή του πραγματοποιήθηκε με τη μορφή πολυετούς χαμηλότοκου δανείου, για το οποίο οι Αμερικανοί ζήτησαν την εγγύηση της ελληνικής κυβερνήσεως. Επειτα από ένα χρόνο αποκτήθηκαν και 7 δεξαμενόπλοια τύπου Τ2, τα οποία απετέλεσαν τον πυρήνα τού μετέπειτα εντυπωσιακού ελληνικού στόλου δεξαμενοπλοίων.

Σκοπός αυτής της έκδοσης δεν είναι η καταγραφή ή η ανάλυση των ιστορικών δεδομένων τα οποία συνέθεσαν την απόκτηση των 100 Λίμπερτυς, αλλά η αποτύπωση της εικόνας των πλοίων καθώς και των ανθρώπων, οι οποίοι πρωταγωνίστησαν γύρω απ' αυτά. Παρακολουθεί από κοντά ένα-ένα τα 107 ιστορικά για τη ναυτιλία μας πλοία με τη σειρά που περιήλθαν σε ελληνικά συμφέροντα και παραθέτει στοιχεία από την εικοσιπενταετή διαδρομή τους στο πλαίσιο της παγκόσμιας ναυτιλίας. Εστιάζει τον φακό στους εφοπλιστές της εποχής, συνοψίζοντας την έως τότε επαγγελματική πορεία του καθενός. Απεικονίζει τους έλληνες ναυτικούς οι οποίοι φωτογραφίζονται με καμάρι πάνω στο πλοίο που για ορισμένους υπήρξε για πολλά χρόνια το ίδιο τους το σπίτι. Παρατηρώντας στις επόμενες σελίδες πολλές, ανέκδοτες ως σήμερα, φωτογραφίες, θα διακρίνουμε μεταξύ άλλων νεαρούς ναυτικούς, παιδιά ναυτικών ή εφοπλιστών οι οποίοι σήμερα είναι οι ίδιοι πλοιοκτήτες, ενώ άλλοι εξελίχθηκαν σε στελέχη ναυτιλιακών επιχειρήσεων. Οπως όμως και αν το δει κανείς, μία είναι η πραγματικότητα και αυτή αναδύεται μέσα από κάθε σελίδα του βιβλίου. Ολα σχεδόν τα πρόσωπα που αναφέρονται, υπήρξαν οι ίδιοι ναυτικοί ή προήλθαν από οικογένειες ναυτικών. Κανένα έθνος στον κόσμο δεν έχει να επιδείξει την μοναδικότητα αυτή, η οποία χαρακτηρίζει σε σημαντικό βαθμό ακόμα και σήμερα, την εντυπωσιακή πορεία της ελληνικής ναυτιλίας. Στην πραγματικότητα, στην υπόθεση της ναυτιλίας μας δεν υπάρχουν ευλογημένα πλοία. Υπάρχουν ευλογημένοι άνθρωποι. Οι Ελληνες Ναυτικοί.

Γιώργος Μ. Φουστάνος
Μάιος 1996

INTRODUCTION

It is half a century since one hundred merchant ships, of the type known as the "Liberty", were registered, almost en masse, under the Greek flag. These ships have consistently and faithfully served for a quarter of a century the needs of the world's sea transport before fading away in the annals of history.

The Greeks have a simple word for them. The "blessed" ones.

Some, speak of them as being the stepping stone, nay the beginning, for Greek shipping. An extreme view, perhaps, especially when one considers that Greek shipowners had developed important fleets a number of decades prior to the launching of the first Liberty. Others, speak of the enormous contribution of the Greek merchant fleet to the war effort which resulted, by the end of World War II, in the loss of over 2.000 fine seamen and 75% of the Greek merchant fleet.

Little is known as to how the Greek merchant fleet had developed throughout the years up to the eve of World War II. This was the time when the political and commercial dominance, shipping in particular, of Great Britain was at its zenith, yet Greek shipowners, like Livanos, Kulukundis, Pnevmaticos, Rethymnis, Nicolaou and others were placing orders for new buildings in British shipyards, not to mention the orders placed by Embiricos, Stathatos, Moraitis, Vatis, Lykiardopulos, Dracoulis, Kyriakides, Vergottis and others, in the first quarter of this century. Indeed, very little, if anything, is known of the benevolence of the Vagliano brothers, not only because of their several donations to the Nation, including the National Library, but also of their pioneering in building ships in British shipyards in the last quarter of the 19th century, when the pre-eminence of Greek steam over Greek sail had become finally established, thereby enabling Greek seamen to become the important shipowners of the 20th century.

It is not, therefore, strange that when younger generations refer to the Liberty type ships they are unable to fathom the fact that had World War II not taken place, the growth of the Greek merchant fleet, as developed in the late 30's, would have enabled Greek shipowners to become leaders of the world's shipping much earlier.

Despite, or perhaps because of, all this the Liberty type ships are the milestone for Greek shipping, indeed modern Greek maritime history. In the aftermath of the catastrophic World War II the only way forward to preserve, and enhance, the Nation's identity as a maritime one as well as the ability to trade was the massive acquisition of ships; a strength that could help towards the re-vitalisation of the economy of the Nation. The one hundred Liberty ships offered the opportunity of immediate employment to some 3.500 Greek seafarers who, but for this employment, would have looked elsewhere for employment or immigration; a popular choice for Greeks at that time. The acquisition of the "blessed" ships was a "blessing" twice over. Not only were these ships the nucleus for the restructuring and evolution of an impressively large fleet but also the lifejacket that kept afloat and alive a profession in which the Greeks flourished many times over since antiquity; seafaring.

The symbolic name of "Liberty" was given to a type of cargo ship of about 10.000 tons which was, originally conceived in Great Britain and, massively produced in the United States and Canada, following the enormous losses caused by enemy action, in order to cover the increased demands of the Allied forces - transportation. Over 2.700 of these ships were built in the United States in the course of four years. A production rate that could not be matched even by today's advanced technology. The method employed, one of prefabricating sections which were not riveted - the method applied by and large till then - but welded, created scepticism to many who were of the view that such ships would have a very short life. It is not surprising that amongst those waverers were also some Greek shipowners who declined to become involved in their acquisition once a decision was made to approach the United States for the War surplus.

Those Greek shipowners that were able to operate out of the United States during World War II formed the Greek Shipowners New York Committee (GSNYC). Its first Chairman being Emmanuel Kulukundis. GSNYC was instrumental in co-ordinating, inter alia, the movements of the Greek merchant fleet and founded homes, in New York and Halifax, for the benefit of Greek seamen that were unable to return home. GSNYC was, furthermore, the co-ordinator for and succeeded in convincing the United States government to place under Greek management during the war fifteen such Liberty ships. All, but one, survived World War II. The one that was lost was named "ELEFTHERIA" the Greek word for "LIBERTY"; a fitting contribution to the war effort.

Following the end of the catastrophic war, in which the Greek fleet was decimated, the majority being uninsured, the Greek shipowners had no alternative than to look to their Government for assistance in replacing lost tonnage. The British yards, the only ones to build merchant ships at the time, were fully booked. No second hand tonnage was on offer, little survived the war. There was though one solution and that was the acquisition of Liberty ships that were surplus to the requirements of the United States Navy and which were laid-up after the end of the war. The efforts of the Greek shipowners were thus concentrated in that direction and it was a fortuitous coincidence that Sophocles Venizelos, a politician conversant with shipping, was the Deputy Prime Minister of the day, and Nicholas Avraam, an open-minded and able politician the responsible Minister of Merchant Marine. They were convinced that the acquisition of such ships was of the utmost importance for the Nation and its seafarers and worked relentlessly, especially the latter, towards achieving such goal. It is sad that Nicholas Avraam died forgotten due to an alleged, but unfounded and unproved, accusation of being involved in a scandal concerning the acquisition of the Liberty type of ships.

From December 1946 until April 1947 ninety eight Liberty ships, inclusive of the fourteen remaining after the end of the war, under Greek management, plus another two small cargo liners - referred to also as Liberty - were purchased by Greek shipowners at US$ 580.000 each, 25% of which was paid in cash and the balance was deferred for a period, at low interest rates, on the strength of the guarantee of the Greek government which secured its exposure by collaterals made available by the shipowners. A year later, seven T2 type tankers were also purchased by Greek shipowners.

These "blessed" ships formed the nucleus of the re-born Greek fleet that is today the leader in the World shipping.

The purpose of this publication is not to provide nor analyse historical data covering the acquisition of the Liberty ships but only to gather together, for the first time, the pictorial history of these "blessed" ships as well as those that were connected with them. One can follow, one by one, all the 100&7 ships that created history for the Greek merchant marine and, at a glance, become aware of their voyage through their 25 years of life. Little did they know those waverers who believed that these ships would have a short life. One can focus on the shipowners of the time and compare with their later achievements as can focus to the Greek seamen photographed proudly onboard the ship that had become their home for a number of years. The reader will be able to find in the many - some never published before - photographs shipowners and their children, some of whom have followed in their fathers' steps, some seafarers and their children some of whom have become shipowners and/or shipping executives. The bottom line is an unquestionable fact. All, or almost all, those that were involved with the "blessed" ships were seafarers or come from families of mariners. The truth is that there are not "blessed" ships, there are "blessed" people. The Greek Mariners. The mariners that derive their inspiration from the "Ulysses syndrome". Ulysses is not, simply, the traveller who serves as a symbol for the adventures the Greeks have embarked upon over the centuries including the acquisition of the Liberty ships. The mariners that are the incarnation of ideas in a relentless quest for new horizons, for new civilisations, for new achievements and, above all, freedom; as in "LIBERTY".

George M. Foustanos
May 1996

A. 98 ΛΙΜΠΕΡΤΥΣ

B. 2 ΦΟΡΤΗΓΑ ΠΛΟΙΑ C1-M-AV1

Γ. 7 ΔΕΞΑΜΕΝΟΠΛΟΙΑ T2

A. 98 LIBERTIES

B. 2 CARGO SHIPS C1-M-AV1

C. 7 T2 TANKERS

Με τη σειρά παράδοσής τους σε Έλληνες πλοιοκτήτες

A. 98 LIBERTIES

By order of delivery to Greek shipowners

Ναυπηγήθηκε το 1943 από την Permanente Metals
Corporation, Yard No 1.
Αρχικό όνομα **MICHAEL CASEY**.
Παραδόθηκε στους Έλληνες πλοιοκτήτες του,
Υιούς Γεωργίου Χατζηφραγκούλη Ανδρεάδη,
στις **13 Δεκεμβρίου 1946**
και νηολογήθηκε στη Χίο.
Πλοίαρχος ανέλαβε ο **Ευστράτιος Παναγόπουλος**
και Α΄ Μηχανικός ο **Γεώργιος Νιαμονιτάκης**.
Διαλύθηκε το 1985 στο Σπλιτ της Γιουγκοσλαβίας.

Built in 1943 by Permanente Metals
Corporation, Yard No 1.
Original name **MICHAEL CASEY**.
Delivered to her Greek owners,
Georgios Hadjifrangoulis Andreadis Sons,
on **13th December, 1946**
and registered at Chios.
Her Master was **Efstratios Panagopoulos**
and Chief Engineer **Georgios Niamonitakis**.
In 1985 she was scrapped at Split, Yugoslavia.

Ο πλοιοκτήτης, καθηγητής **Στρατής Γ. Ανδρεάδης** (1905-1989), από τους
διακεκριμένους Έλληνες εφοπλιστές και επιχειρηματίες.
Προπολεμικά, ακολούθησε ακαδημαϊκή σταδιοδρομία.
Υιός του πλοιάρχου και εφοπλιστή **Γεωργίου Χατζηφραγκούλη Ανδρεάδη**
(1875-1945) από το Βροντάδο της Χίου.
Στην πλοιοκτησία του ΓΕΩΡΓΙΟΣ Φ. ΑΝΔΡΕΑΔΗΣ, συμμετείχε ο αδελφός του
Σπύρος Γ. Ανδρεάδης, πλοίαρχος του Εμπορικού Ναυτικού.
Τις παραμονές του Δευτέρου Παγκοσμίου Πολέμου,
η οικογένεια Γεωργίου Χατζηφραγκούλη Ανδρεάδη είχε δύο ατμόπλοια τα
ΔΙΩΝΗ και ΘΕΤΙΣ, τα οποία απωλέσθησαν.

Professor **Stratis G. Andreadis**
(1905-1989), distinguished
shipowner and businessman.
In the prewar period, he pursued
an academic career.
He was the son of captain
and shipowner
**Georgios Hadjifrangoulis
Andreadis** (1875-1945),
from Vrontados, Chios.
His brother,
captain **Spyros G. Andreadis**,
was a co-owner of
GEORGIOS F. ANDREADIS.
On the eve of World War II,
the Georgios Andreadis family
owned two ships,
DIONI and THETIS,
which were both lost.

FOTOFLITE, ASHFORD, KENT, UK

Ναυπηγήθηκε το 1943 από την New England Shipbuilding Corporation.

Αρχικό όνομα **WILLIAM DE WITT HYDE**.

Μετονομάστηκε **ΕΛΛΑΣ**

και περιήλθε υπό Ελληνική διαχείρηση στη διάρκεια του πολέμου.

Παραδόθηκε στους Ελληνες πλοιοκτήτες του, **Υιούς Χρήστου Λαιμού**,

στις **13 Δεκεμβρίου 1946** και νηολογήθηκε στη Χίο.

Πλοίαρχος ανέλαβε ο εκ των πλοιοκτητών **Μιχαήλ Λαιμός**

και Α' Μηχανικός ο **Λάζαρος Λαγάς**.

Τον Νοέμβριο του 1968 διαλύθηκε στο Χιράο.

Built in 1943 by New England Shipbuilding Corporation.

Original name **WILLIAM DE WITT HYDE**.

Renamed **HELLAS**

and transferred to Greek management during the war.

Delivered to her Greek owners, **Christos Lemos Sons**,

on **13th December, 1946** and registered at Chios.

Her Master was **Michael Lemos**,

one of her owners

and her Chief Engineer was **Lazaros Lagas**.

She was scrapped in November, 1968 at Hirao.

Γιώργης Χρ. Λαιμός
Georgios Chr. Lemos

Παντελής (Λέων) Χρ. Λαιμός
Pantelis (Leon) Chr. Lemos

Οι αδελφοί **Γιώργης Λαιμός** (1900-1975), **Μιχαήλ Λαιμός** (1905-1973) και **Παντελής (Λέων) Λαιμός** (1913-1989)
από τις Οινούσσες, ήταν υιοί του πλοιάρχου **Χρήστου Μ. Λαιμού**-Μπαρμπαχρήστου (1867-1940).
Στη διάρκεια του μεσοπολέμου, απέκτησαν και δικά τους ατμόπλοια, στα οποία πλοιάρχευσαν ο Μιχαήλ και ο Λέων.
Τις παραμονές του Δευτέρου Παγκοσμίου Πολέμου είχαν το ατμόπλοιο ΕΥΠΛΟΙΑ, το οποίο απώλεσαν στη διάρκειά του.
Ο Γιώργης Χρ. Λαιμός και οι αδελφοί του ήταν από τους συνιδρυτές του ναυτιλιακού οίκου Lemos & Pateras Ltd., το 1937.

Brothers **Georgios Lemos** (1900-1975), **Michael Lemos** (1905-1973) and **Pantelis (Leon) Lemos** (1913-1989)
from Oinoussai, were sons of captain **Christos M. Lemos** (1867-1940).
In the interwar period, the Chr. Lemos family, acquired their own steamers, which sailed under the command of
Michael and Leon. On the eve of World War II, they owned the steamer EFPLOIA, which was lost during the war.
Georgios Ch. Lemos and his brothers were one of the parties that formed the Lemos & Pateras Ltd. shipping firm, in 1937.

Μιχαήλ Χρ. Λαιμός
Michael Chr. Lemos

Στη γέφυρα
του ΕΛΛΑΣ,
ο Πλοίαρχος
Αλέξανδρος
Μαλλιαρουδάκης
και ο Α' Μηχανικός
Νικόλαος
Παντελάκης,
στο Μουρορáν
της Ιαπωνίας, το 1957.

On the bridge
of HELLAS,
Captain
Alexandros
Malliaroudakis
and Chief Engineer
Nicolaos
Pandelakis.
Muroran, Japan, 1957.

27

Ο **Περικλής Γρηγορίου Καλλιμανόπουλος** ήταν πελοποννησιακής καταγωγής. Εργάστηκε διαδοχικά ως ιδιωτικός υπάλληλος, ναυλομεσίτης, ατμοπλοϊκός πράκτορας και γαιανθρακέμπορος. Το 1934, ίδρυσε την Ανώνυμο Εταιρία Ατμοπλοϊκών Γραμμών Η ΕΛΛΗΝΙΚΗ, η οποία υπήρξε η μεγαλύτερη ελληνική εταιρία τακτικών γραμμών. Στη διάρκεια του Δευτέρου Παγκοσμίου Πολέμου απώλεσε το σύνολο του στόλου του ο οποίος αποτελείτο από τα πλοία ΓΡΗΓΟΡΙΟΣ Κ. ΙΙ, ΠΑΤΡΑ, ΑΓΚΥΡΑ, ΤΟΥΡΚΙΑ, ΒΕΛΓΙΟ, ΑΘΗΝΑΙ και ΟΛΛΑΝΔΙΑ.

Pericles G. Callimanopoulos, from Peloponnissos, worked as a ship's agent, shipbroker and coal merchant. In 1934 he established HELLENIC LINES S.A., which became the largest Greek liner company. During World War II, he lost the whole of his fleet, consisting of the vessels GRIGORIOS C. II, PATRAI, ANGYRA, TURKIA, BELGION, ATHINAI and HOLLANDIA.

GRIGORIOS C. III

Ναυπηγήθηκε το 1944 από την
New England Shipbuilding Corporation.
Αρχικό όνομα **MICHAEL ANAGNOS**.
Περιήλθε υπό Ελληνική διαχείρηση
στη διάρκεια του πολέμου.
Παραδόθηκε στους Έλληνες πλοιοκτήτες του,
Ελληνική Α.Ε.
(Όμιλος Περικλή Γ. Καλλιμανόπουλου),
στις **13 Δεκεμβρίου 1946** και νηολογήθηκε στον Πειραιά.
Πλοίαρχος ανέλαβε ο **Παναγιώτης Φερεντίνος**
και Α' Μηχανικός ο **Λεωνίδας Στέλιου**.
Πουλήθηκε σε γιουγκοσλάβους διαλυτές το 1973.

Built in 1944 by New England Shipbuilding Corporation.
Original name **MICHAEL ANAGNOS**.
Transferred to Greek management
during the war.
Delivered to her Greek owners,
Hellenic Lines S.A.
(Pericles G. Callimanopulos Group),
on **13th December, 1946** and registered at Piraeus.
Her Master was **Panaghiotis Ferentinos**
and Chief Engineer **Leonidas Steliou**.
In 1973 she was sold to Yugoslav shipbreakers.

Περικλής Γ. Καλλιμανόπουλος (1892-1979)
Pericles G. Callimanopulos (1892-1979)

Ναυπηγήθηκε το 1944
από την J. A. Jones Construction Co, Wainwright Yard.
Αρχικό όνομα **ALEXANDER E. BROWN**.
Παραδόθηκε στον Έλληνα πλοιοκτήτη του,
Νικόλαο Μ. Ευσταθίου, στις **19 Δεκεμβρίου 1946**
και νηολογήθηκε στον Πειραιά.
Πλοίαρχος ανέλαβε ο **Πέτρος Γερακάρης**
και Α' Μηχανικός ο **Ιωάννης Λιάκος**.
Το 1963 πουλήθηκε στην Nimor Corporation
και μετονομάστηκε **ΓΕΩΡΓΑΚΗΣ**.
Το 1965 πουλήθηκε σε περουβιανά συμφέροντα
και ονομάστηκε **HUMBOLDT**.
Διαλύθηκε τον Ιανουάριο του 1967 στο Σανταντέρ, της Ισπανίας.

Built in 1944
by J. A. Jones Construction Co, Wainwright Yard.
Original name **ALEXANDER E. BROWN**.
Delivered to her Greek owner, **Nicolaos M. Efstathiou**,
on **19th December, 1946** and registered at Piraeus.
Her Master was **Petros Gerakaris**
and Chief Engineer **Ioannis Liakos**.
In 1963 she was sold to Nimor Corporation
and renamed **GEORGAKIS**.
In 1965 she was sold to Peruvian interests
and renamed **HUMBOLDT**.
In January, 1967 she was scrapped at Santander, Spain.

Μιχαήλ Ν. Ευσταθίου
(1918-1968)

Michael N. Efstathiou
(1918-1968)

Ο πλοιοκτήτης **Νικόλαος Μ. Ευσταθίου** (1881-1966),
γεννήθηκε στη Νέα Φώκαια της Σμύρνης.
Αρχικά δίδαξε στην Ευαγγελική Σχολή της Σμύρνης, ενώ
αργότερα εξελίχθηκε σε πλοίαρχο του Εμπορικού Ναυτικού
και στα μέσα της δεκαετίας του 1920 σε εφοπλιστή.
Την οικογενειακή επιχείρηση πλαισίωσε
αργότερα ο υιός του, **Μιχαήλ Ν. Ευσταθίου**.
Τις παραμονές του Δευτέρου Παγκοσμίου Πολέμου,
η οικογένεια Ευσταθίου είχε τρία πλοία,
το ΜΑΡΙΕΤΤΑ, το ΜΙΧΑΛΑΚΗΣ και το ΜΑΡΠΗΣΣΑ,
εκ των οποίων διεσώθη μόνο το τελευταίο.

FOTOFLITE, ASHFORD, KENT, UK

Ο Νικόλαος Μ. Ευσταθίου
παρακολουθεί την καθέλκυση
ενός σκάφους του
με τον εγγονό του Στέλιο.

Nicolaos M. Efstathiou,
watching with
his grandson Stelios
the launching
of one of his vessels.

Shipowner **Nicolaos M. Efstathiou** (1881-1966),
was born in Nea Fokea, Smyrne.
He taught in the Evangelical School of Smyrne and
subsequently became a Master Mariner.
In the mid-twenties, he purchased his first steamer.
He was later joined
by his son **Michael N. Efstathiou**,
On the eve of World War II,
the N. Efstathiou family owned three ships,
MARIETTA, MICHALAKIS and MARPESSA,
but only the latter survived the war.

31

FOTOFLITE, ASHFORD, KENT, UK

Δημήτριος Α. Πατέρας (1897-1954)

Demetrios A. Pateras (1897-1954)

Ο Κωνσταντίνος Α. Πατέρας (1904-1968)
με την οικογενειά του.

Constantinos A. Pateras (1904-1968)
with his family.

Οι αδελφοί **Δημήτριος Πατέρας**,
Μάρκος Πατέρας και **Κωνσταντίνος Πατέρας**,
ήταν υιοί του αιγνουσιώτη
πλοιάρχου και εφοπλιστή
Αναστάσιου Δ. Πατέρα (1870-1924).
Στη διάρκεια του Δευτέρου Παγκοσμίου
Πολέμου απώλεσαν και τα δύο ατμόπλοιά τους
ΑΝΑΣΤΑΣΙΟΣ ΠΑΤΕΡΑΣ και
ΜΑΡΟΥΚΩ ΠΑΤΕΡΑ.
Ο Δημήτριος Α. Πατέρας και τα αδέλφια του
ήταν εκ των συνιδρυτών του ναυτιλιακού οίκου,
Lemos & Pateras Ltd., το 1937.

Demetrios Pateras,
Markos Pateras and **Constantinos Pateras**,
sons of the Oinoussian captain and shipowner
Anastassios D. Pateras (1870-1924).
During World War II,
they lost both their vessels ANASTASSIOS
PATERAS and MAROUKO PATERAS.
Demetrios A. Pateras and his brothers
were co-founders of the shipping firm
Lemos & Pateras Ltd., in 1937.

Ναυπηγήθηκε το 1943 από την North Carolina Shipbuilding Company.
Αρχικό όνομα **BETTY ZANE**.
Παραδόθηκε στους Έλληνες πλοιοκτήτες του, **Υιούς Αναστασίου Δ. Πατέρα**,
στις **19 Δεκεμβρίου 1946** και νηολογήθηκε στη Χίο.
Πλοίαρχος ανέλαβε ο **Νικόλαος Ποντικός**
και Α' Μηχανικός ο **Νικόλαος Καράλογλου**.
Το 1963 πουλήθηκε στην εταιρία Resurreccion Cia Naviera S.A. (Μ. Πατέρας)
και μετονομάστηκε **ΑΝΑΣΤΑΣΙΣ**.
Το Φεβρουάριο του 1968 διαλύθηκε στο Μότζι, της Ιαπωνίας.

Built in 1943 by North Carolina Shipbuilding Company.
Original name **BETTY ZANE**.
Delivered to her Greek owners, **Anastassios D. Pateras Sons**,
on **19th December, 1946** and registered at Chios.
Her Master was **Nicolaos Pontikos**
and Chief Engineer **Nicolaos Karaloglou**.
In 1963 she was sold to Resurreccion Cia Naviera S.A. (M. Pateras)
and renamed **ANASTASSIS**.
She was scrapped in February, 1968 at Moji, Japan.

Ο πλοίαρχος Νικόλαος Ποντικός,
από τις Οινούσσες.

Captain Nicolaos Pontikos,
from Oinoussai.

Ναυπηγήθηκε το 1944
από την Todd Houston Shipbuilding Corporation.
Αρχικό όνομα **CYRIL G. HOPKINS**.
Μετονομάστηκε **ΝΑΥΑΡΧΟΣ ΚΟΥΝΤΟΥΡΙΩΤΗΣ**
και περιήλθε υπό Ελληνική διαχείρηση
στη διάρκεια του πολέμου.
Παραδόθηκε στον Έλληνα πλοιοκτήτη του,
Ιωάννη Κ. Καρρά,
στις **19 Δεκεμβρίου 1946**
και νηολογήθηκε στη Χίο.
Πλοίαρχος ανέλαβε ο **Νικόλαος Τσούρας**
και Α' Μηχανικός ο **Γεώργιος Αγριανίτης**.
Στις 20 Οκτωβρίου 1964 προσάραξε, ενώ έπλεε
από το Μαρ ντε Πλάτα για τη Μασσαλία.
Κόπηκε στα δύο και θεωρήθηκε Τεκμαρτή Ολική Απώλεια.

Η καθέλκυση του
CYRIL G. HOPKINS.

The launching of
CYRIL G. HOPKINS.

FOTOFLITE, ASHFORD, KENT, UK

Built in 1944 by Todd Houston Shipbuilding Corporation.
Original name **CYRIL G. HOPKINS**.
Renamed **NAVARCHOS KOUNDOURIOTIS**
and transferred to Greek management during the war.
Delivered to her Greek owner,
Ioannis C. Carras,
on **19th December, 1946**
and registered at Chios.
Her Master was **Nicolaos Tsouras**
and Chief Engineer **Georgios Agrianitis**.
On 20th October, 1964, whilst on a passage from Mar de Plata
to Marseilles, she grounded, broke in two and
was declared a Constructive Total Loss.

Ο μεγάλος σύγχρονος Έλληνας εφοπλιστής,
Ιωάννης Κωνσταντίνου Καρράς (1907-1989), από τα Καρδάμυλα της Χίου.
Υιός του πλοιάρχου και εφοπλιστή **Κωνσταντίνου Ι. Καρρά** (1875-1969)
και εγγονός του **Ιωάννη Ι. Καρρά** (1852-1927), ενός από τους πρωτοπόρους
της ναυτιλίας των Καρδαμύλων.
Το 1931, συνεργάστηκε με τον **Άγγελο Λούζη**, ιδρυτή του ναυτιλιακού γραφείου A. Lusi Ltd.,
το οποίο εξελίχθηκε σε ένα από τα σημαντικότερα ελληνικά γραφεία του Λονδίνου.
Στη διάρκεια του πολέμου απώλεσε το ατμόπλοιο ΚΑΡΡΑΣ.

John C. Carras (1907-1989), from Kardamyla, Chios.
One of the most celebrated contemporary Greek shipowners.
Son of captain and shipowner **Constantinos J. Carras** (1875-1969)
and grandson of **Ioannis J. Carras** (1852-1927), one of the pioneers
of the Kardamylian merchant marine.
In 1931, he joined **Angelos Lusis** founder of the shipping firm A. Lusi Ltd.,
which eventually became one of the most important Greek offices in London.
During World War II, he lost his steamer CARRAS.

Ο Πλοίαρχος Νικόλαος Τσούρας
Captain Nicolaos Tsouras

Ο πλοιοκτήτης **Κωνσταντίνος Γεωργίου Γράτσος** (1902-1981).
Πρωτότοκος υιός του ιθακήσιου πλοιάρχου και εφοπλιστή
Γεωργίου Δ. Γράτσου (1869-1931).
Δραστηριοποιήθηκε προπολεμικά με τους αδελφούς του,
Δημήτριο, Αλκιμο και **Πάνο Γράτσο**.
Κατά τη διάρκεια του πολέμου βρέθηκε στην Αμερική, όπου διαδραμάτισε σημαντικό ρόλο
στις προσπάθειες για την απόκτηση των 100 Λίμπερτυς.
Μετά τον πόλεμο, έδρασε ανεξάρτητα.

Shipowner **Costas G. Gratsos** (1902-1981).
Son of captain and shipowner
Georgios D. Gratsos (1869-1931) from Ithaca.
In the prewar years he operated jointly with his three younger brothers
Demetrios, Alkimos and **Panos Gratsos**.
During World War II, he lived in the U.S.A. and played a significant role in the efforts
for the acquisition of the 100 Liberty vessels.
In the post-war years, he operated independently.

Ναυπηγήθηκε το 1945
από την New England Shipbuilding Corporation.
Αρχικό όνομα **FREDERICK AUSTIN**.
Μετονομάστηκε **ΔΩΔΕΚΑΝΗΣΟΣ**
και περιήλθε υπό Ελληνική διαχείρηση στη διάρκεια του πολέμου.
Παραδόθηκε στον Έλληνα πλοιοκτήτη του,
Κώστα Γεωργίου Γράτσο, στις **19 Δεκεμβρίου 1946**
και νηολογήθηκε στην Ιθάκη.
Πλοίαρχος ανέλαβε ο **Κυριάκος Κουτρουφιώτης**
και Α' Μηχανικός ο **Δημήτριος Αθανασιάδης**.
Διαλύθηκε τον Οκτώβριο του 1970 στο Τσιταγκόνγκ.

Built in 1945 by New England Shipbuilding Corporation.
Original name **FREDERICK AUSTIN**.
Renamed **DODEKANISOS**
and transferred to Greek management during the war.
Delivered to her Greek owner, **Costas G. Gratsos**,
on **19th December, 1946** and registered at Ithaca.
Her Master was **Kyriakos Koutroufiotis**
and Chief Engineer **Demetrios Athanasiadis**.
She was scrapped in October, 1970 at Chittagong.

Στο κατάστρωμα του ΟΝΤΡΕΫ
τον Φεβρουάριο του 1952.
Από αριστερά, ο Υποπλοίαρχος
Ιωάννης Θ. Μουστακαρίας,
ο Πλοίαρχος Κυριάκος
Κ. Κουτρουφιώτης, με τη σύζυγό
του Κυριακή, ο Ανθυποπλοίαρχος
Σταμάτιος Θ. Μουστακαρίας
και ο Β' Μηχανικός
Νικόλαος Σ. Μαρσής.

February 1952,
on the deck of AUDREY.
Pictured from left are,
Chief Officer
Ioannis Th. Moustakarias,
Captain Kyriakos K. Koutroufiotis
and his wife Kyriaki, Second Officer
Stamatios Th. Moustakarias
and Second Engineer
Nicolaos S. Marsis.

Ο πλοίαρχος Γιάννης Μουστακαρίας από την Ύδρα. Ναυτολογήθηκε στις 10 Αυγούστου 1946 ως δόκιμος πλοίαρχος όταν αυτό ονομάζετο ακόμη ΔΩΔΕΚΑΝΗΣΟΣ. Εξελίχθηκε σε πλοίαρχο υπηρετώντας στο ίδιο πλοίο έως τις 7 Σεπτεμβρίου 1960, έχοντας συμπληρώσει σ' αυτό συνολική υπηρεσία 11 ετών, 7 μηνών και 16 ημερών. Την 1η Ιουλίου 1959 ετέλεσε τους γάμους του επί του πλοίου, ενώ αυτό εφόρτωνε στον κόλπο της Αγίας Άννας Μυκόνου.

Captain Ioannis Moustakarias from the island of Hydra. He signed on as a deck cadet on 10th August, 1946 when the ship was still named DODEKANISOS. He served on board until he became her Master and signed off on 7th September, 1960, recording a total service of 11 years, 7 months and 16 days. On 1st July, 1959 he got married on board, while the vessel was loading at the bay of Aghia Anna, Mykonos.

Ο πλοίαρχος Κυριάκος Κουτρουφιώτης από την Ύδρα. Παρέλαβε το πλοίο στις 19 Δεκεμβρίου 1946 και διατήρησε την πλοιαρχία του έως τις 15 Απριλίου 1956.

Captain Kyriakos Koutroufiotis from Hydra. He took delivery of the vessel on 19th December, 1946 and remained her Master until 15th April, 1956.

Ο πλοίαρχος Γεώργιος Μαρίνος
(1905-1991), από τη Σύρο.

Captain Georgios Marinos
(1905-1991), from Syra.

FOTOFLITE, ASHFORD, KENT, UK

Ναυπηγήθηκε το 1945 από την St. Johns River Shipbuilding Company.
Αρχικό όνομα **JAMES H. COURTS**.
Μετονομάστηκε **NIKH**
και περιήλθε υπό Ελληνική διαχείρηση στη διάρκεια του πολέμου.
Παραδόθηκε στους Έλληνες πλοιοκτήτες του, **Ατμοπλοΐα Κάσσου Α.Ε.**, στις **19 Δεκεμβρίου 1946** και νηολογήθηκε στη Σύρο.
Πλοίαρχος ανέλαβε ο **Γεώργιος Μαρίνος** και Α' Μηχανικός ο **Χαράλαμπος Κουλακίδης**.
Το 1965 πουλήθηκε στην εταιρία Cia. Naviera Tierra del Fuegos S.A.
και μετονομάστηκε **ACHILLES**.
Στις 21 Νοεμβρίου 1965 η καδένα της άγκυρας έσπασε λόγω κακοκαιρίας, με αποτέλεσμα να εξωκείλει στο Μουρορά́ν.
Στις 2 Δεκεμβρίου 1965 αποκολήθηκε με ζημιές. Θεωρήθηκε Τεκμαρτή Ολική Απώλεια
και τον Ιανουάριο του 1966 διαλύθηκε στην Οσάκα.

Built in 1945 by St. Johns River Shipbuilding Company.
Original name **JAMES H. COURTS**.
Renamed **NIKI** and transferred to Greek management during the war.
Delivered to her Greek owners, **Kassos Steam Navigation Company S.A. Syra**,
on **19th December, 1946** and registered at Syros.
Her Master was **Georgios Marinos** and Chief Engineer **Charalampos Koulakidis**.
In 1965 she was sold to Cia. Naviera Tierra del Fuegos S.A. and renamed **ACHILLES**.
On 21st November, 1965 her anchor chain broke in heavy weather and as a result she grounded at Muroran.
On 2nd December, 1965 she was refloated with damages and declared a Constructive Total Loss.
In January, 1966 she was scrapped, at Osaka.

Από αριστερά, οι Λώρης Καμπάνης, ναύτης,
Νίκος Φιλάρετος, ναύτης, Σιδερής Στεφάνου, ξυλουργός
και Λοΐζος Συρίγος, ναύτης.
Μίντλεσμπρο, 24 Αυγούστου 1948.

From left, Loris Cambanis, AB, Nicos Filaretos, AB, Sideris
Stefanou, Carpenter and Loizos Syrigos, AB.
Middlesbrough, 24th August, 1948.

Ναυπηγήθηκε το 1945 από την Todd Houston Shipbuilding Corporation.

Αρχικό όνομα **MARK A. DAVIS**.

Μετονομάστηκε **ΨΑΡΑ** και περιήλθε υπό Ελληνική διαχείρηση στη διάρκεια του πολέμου.

Παραδόθηκε στους Έλληνες πλοιοκτήτες του, **Υιούς Ιωάννη, Λουκά και Στάμου Φαφαλιού** και **Αθανάσιο Αναστασίου**,
στις **19 Δεκεμβρίου 1946** και νηολογήθηκε στη Χίο.

Πλοίαρχος ανέλαβε ο εκ των πλοιοκτητών **Μιχαήλ Φαφαλιός** και Α' Μηχανικός ο **Ηλίας Καρζής**.

Το Μάϊο του 1967 διαλύθηκε στην Οσάκα.

Built in 1945 by Todd Houston Shipbuilding Corporation.

Original name **MARK A. DAVIS**.

Renamed **PSARA** and transferred to Greek management during the war.

Delivered to her Greek owners, **Ioannis, Loucas and Stamos Fafalios Sons** and **Athanassios Anastassiou**,
on **19th December, 1946** and registered at Chios.

Her Master was **Michael Fafalios**, one of her owners and Chief Engineer **Elias Karzis**.

She was scrapped at Osaka in May, 1967.

FOTOFLITE, ASHFORD, KENT, UK

Δημήτριος Ιωάννου Φαφαλιός (1897-1967)
Demetrios J. Fafalios (1897-1967)

Οι Υιοί Στάμου Δ. Φαφαλιού,
πλοίαρχος Δημήτριος Φαφαλιός
(1906-1981), πάνω,
πλοίαρχος Πανάγος Φαφαλιός
(γεν. 1908), αριστερά
και Ιωάννης Φαφαλιός
(1916-1995), δεξιά.

The sons of Stamos D. Fafalios.
In top photo,
captain Demetrios Fafalios
(1906 -1981), on the left
captain Panaghos Fafalios
(b. 1908) and on the right
Ioannis Fafalios (1916-1995).

Ο πλοίαρχος του ΨΑΡΑ
Μιχαήλ Λουκά Φαφαλιός
(1901-1980).

Captain Michael L. Fafalios
(1901-1980),
Master of S/S PSARA.

Ο Β' Μηχανικός Κώστας Λουκά Φαφαλιός (γεν. 1918),
στην καμπίνα του και δεξιά στο κατάστρωμα του ΨΑΡΑ.

Second Engineer Costas L. Fafalios (b. 1918),
in his cabin and on the deck of PSARA (right).

Γενάρχης της οικογένειας Φαφαλιού, από το Βροντάδο της Χίου,
υπήρξε ο πλοίαρχος **Δημήτριος Φαφαλιός**. Το έργο του συνέχισαν οι υιοί του,
πλοίαρχοι **Ιωάννης**, **Στάμος** και **Λουκάς** και αργότερα οι εγγονοί του,
οι οποίοι ανέπτυξαν σημαντική δραστηριότητα στο διάστημα του μεσοπολέμου,
ιδρύοντας ναυτιλιακό γραφείο και στο Κάρντιφ.
Κατά τη διάρκεια του Δευτέρου Παγκοσμίου Πολέμου
η οικογένεια Φαφαλιού απώλεσε το πλοίο ΙΩΑΝΝΗΣ ΦΑΦΑΛΙΟΣ.

Captain **Demetrios Fafalios**, from Vrontados, Chios,
was the founder of the Fafalios family business.
His sons, **Ioannis**, **Stamos** and **Loucas**, all Master Mariners,
joined later by their own sons, expanded substantially the family shipping business.
In the interwar years, they established a shipping office in Cardiff.
During World War II, the Fafalios family lost the steamer IOANNIS FAFALIOS.

Ο πλοίαρχος Σταύρος
Λουκά Φαφαλιός
(γεν. 1916)

Captain
Stavros L. Fafalios
(b. 1916)

Ναυπηγήθηκε το 1943
από την North Carolina Shipbuilding Company.
Αρχικό όνομα **ROBERT DALE OWEN**.
Παραδόθηκε στους Έλληνες πλοιοκτήτες του,
Υιούς Διαμαντή Πατέρα,
στις **19 Δεκεμβρίου 1946**
και νηολογήθηκε στη Χίο.
Πλοίαρχος ανέλαβε ο **Μιχαήλ Κεφάλας**
και Α' Μηχανικός ο **Γεώργιος Σέρφος**.
Στις 20 Δεκεμβρίου 1947,
ενώ έπλεε από το Τσάρλεστον προς τη Ριέκα,
κενό φορτίου, χτύπησε σε νάρκη έξω από τη Ριέκα,
κόπηκε στα τρία και βυθίστηκε.

Built in 1943
by North Carolina Shipbuilding Company.
Original name **ROBERT DALE OWEN**.
Delivered to her Greek owners,
Diamantis Pateras Sons,
on **19th December, 1946**
and registered at Chios.
Her Master was **Michael Kefalas**
and Chief Engineer **Georgios Serfos**.
On 20th December, 1947
whilst on a passage from Charleston to Rijeka,
in ballast, she struck mines off Rijeka,
broke in three and sank.

Οι πλοιοκτήτες του Λίμπερτυ ΚΑΛΛΙΟΠΗ,
οικογένεια **Διαμαντή Ι. Πατέρα**, από τις παραδοσιακές ναυτικές οικογένειες των Οινουσσών.
Ορθιοι από αριστερά: πλοίαρχος **Κώστας Δ. Πατέρας** (1909-1982), **Στέφανος Δ. Πατέρας** (1904-1981),
πλοίαρχος **Παντελής Δ. Πατέρας** (1902-1985) και πλοίαρχος **Νικόλαος Δ. Πατέρας** (γεν. 1912).
Καθιστοί από αριστερά: πλοίαρχος **Πανάγος Δ. Πατέρας** (1900-1967), **Καλλιόπη Δ. Πατέρα** (1881-1953),
Κατίγκω Δ. Πατέρα (1906-1972), πλοίαρχος **Διαμαντής Ι. Πατέρας** (1867-1951) και πλοίαρχος **Ιωάννης Δ. Πατέρας** (1898-1979).
Ο **Διαμαντής Ι. Πατέρας**, από τους παλαιούς πλοιάρχους των Οινουσσών, απέκτησε στις αρχές του αιώνα πλοία σε συνεργασία με τους αδελφούς του.
Στη διάρκεια του μεσοπολέμου συνεργάστηκε με τους υιούς του.
Ο Ιωάννης Δ. Πατέρας με τους αδελφούς του ήταν από τους συνιδρυτές του οίκου Lemos & Pateras Ltd., το 1937.
Στη διάρκεια του Δευτέρου Παγκοσμίου Πολέμου απώλεσαν
τα πλοία ΚΑΛΛΙΟΠΗ και ΔΙΑΜΑΝΤΗΣ.

The owners of the Liberty vessel KALLIOPI,
Diamantis J. Pateras family, one of the traditional shipping families of the island of Oinoussai.
Pictured from top left: captain **Costas D. Pateras** (1909-1982), **Stefanos D. Pateras** (1904-1981), captain **Pantelis D. Pateras** (1902-1985)
and captain **Nicolaos D. Pateras** (b. 1912). Sitting from left: captain **Panagos D. Pateras** (1900-1967), **Kalliopi D. Pateras** (1881-1953),
Katingo D. Pateras (1906-1972), captain **Diamantis J. Pateras** (1867-1951) and captain **Ioannis D. Pateras** (1898-1979).
Diamantis J. Pateras, one of the most respected Master Mariners of Oinoussai, acquired his first ships, in partnership
with his brothers during the early years of the century.
In the interwar years he expanded his shipping activities with the assistance of his six sons. Ioannis D. Pateras and his brothers
were co-founders of the shipping firm Lemos & Pateras Ltd., in 1937.
During World War II, the D. Pateras family lost
the steamers KALLIOPI and DIAMANTIS.

Ο πλοιοκτήτης **Άγγελος Γ. Λούζης** (1891-1955), από την Κεφαλλονιά.
Εργάστηκε ως ανώτερο στέλεχος στο γνωστό ναυτιλιακό οίκο του Λονδίνου
R. Wigham-Richardson, απ' όπου αποχώρησε το 1929 και ίδρυσε το γραφείο A. Lusi Ltd.,
το οποίο εξελίχθηκε σε ένα από τα σημαντικότερα του Λονδίνου. Κατά τη διάρκεια του Δευτέρου
Παγκοσμίου Πολέμου ο όμιλος Λούζη, απώλεσε το πλοίο ΜΑΡΑΘΩΝ.
Το Νοέμβριο του 1946, λίγο πριν την απόκτηση των 100 Λίμπερτυς, ο Άγγελος Λούζης
αναδείχθη σε πρόεδρο της Ελληνικής Επιτροπής Ναυτιλιακής Συνεργασίας του Λονδίνου.

Shipowner **Angelos G. Lusis** (1891-1955), from Cephalonia.
He was an executive with R. Wigham-Richardson.
In 1929, he established his own office the A. Lusi Ltd., in London, which became one of the most
respected shipping firms in the interwar years. During World War II,
the Lusis Group, lost the steamer MARATHON.
In November, 1946, just before the acquisition of the 100 Liberty vessels,
Angelos Lusis, was elected chairman of the
Greek Shipping Co-operation Committee, in London.

Η καθέλκυση του WILLIAM H. TODD.
The launching of WILLIAM H. TODD.

A. DUNCAN, GRAVESEND

Ναυπηγήθηκε το 1943 από την New England Shipbuilding Corporation. Αρχικό όνομα **WILLIAM H. TODD**.
Μετονομάστηκε **ΑΜΕΡΙΚΗ** και περιήλθε υπό Ελληνική διαχείρηση στη διάρκεια του πολέμου.
Παραδόθηκε στους Έλληνες πλοιοκτήτες του, **Μαραθών Α.Ε. (Όμιλος Αγγέλου Γ. Λούζη)**,
στις **19 Δεκεμβρίου 1946** και νηολογήθηκε στον Πειραιά.
Πλοίαρχος ανέλαβε ο **Διονύσης Λασκαράτος** και Α' Μηχανικός ο **Αντώνης Λουδάρος**.
Το 1956 πουλήθηκε στην Soc. Anon. of Maritime Enterprises (Όμιλος Λούζη-Καρρά) και μετονομάστηκε **ΕΛΛΗΝΙΣ**.
Το 1967 διαλύθηκε στη Σαγκάη.

Built in 1943 by New England Shipbuilding Corporation. Original name **WILLIAM H. TODD**.
Renamed **AMERIKI** and transferred to Greek management during the war.
Delivered to her Greek owners, **Marathon S.A. (Angelos G. Lusis)**,
on **19th December, 1946** and registered at Piraeus.
Her Master was **Dionysios Laskaratos** and Chief Engineer **Antonios Loudaros**.
In 1956 she was sold to Soc. Anon. of Maritime Enterprises (Lusis-Carras Group) and renamed **ELLINIS**.
She was scrapped in 1967 at Shanghai.

Ο Πλοίαρχος Τζώρτζης Μαράτος,
από την Κεφαλλονιά,
στη γέφυρα του ΑΜΕΡΙΚΗ.

Captain Georgios Maratos,
from Cephalonia,
on the bridge of AMERIKI.

Στο κατάστρωμα του ΑΜΕΡΙΚΗ.
Πάνω αριστερά οι Σπύρος Μουίκης, Α' Μηχανικός, Τζώρτζης Μαράτος,
Πλοίαρχος, Νίκος Βασιλικός, Ανθυποπλοίαρχος.
Κάτω δεξιά διακρίνεται ο ναύτης Νίκος Μιχαλιτσιάνος.

On the deck of AMERIKI.
Pictured from top left are, Chief Engineer Spyros Mouikis, Captain Georgios
Maratos and Second Officer Nicos Vassilikos.
AB Nicos Michalitsianos, is pictured seated, on the right.

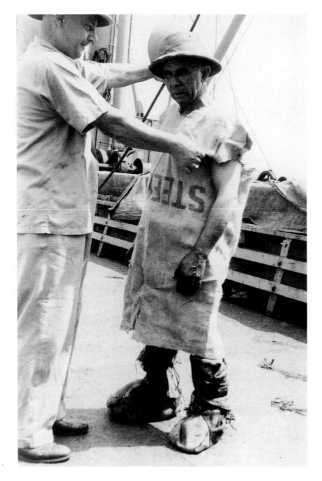

Ο λοστρόμος του ΑΜΕΡΙΚΗ μπαρμπα-Μιχάλης Ψαρρός, ενώ ετοιμάζεται για τον καθαρισμό του Deep Tank.

Bosun Michael Psarros is getting ready for the cleaning of the Deep Tank.

FOTOFLITE, ASHFORD, KENT, UK

Ναυπηγήθηκε το 1945 από την New England Shipbuilding Corporation.
Αρχικό όνομα **CHARLES H. SHAW**.
Μετονομάστηκε **ΛΕΣΒΟΣ**
και περιήλθε υπό Ελληνική διαχείρηση στη διάρκεια του πολέμου.
Παραδόθηκε στον Έλληνα πλοιοκτήτη του, **Σταύρο Γ. Λιβανό**,
στις **26 Δεκεμβρίου 1946** και νηολογήθηκε στον Πειραιά.
Πλοίαρχος ανέλαβε ο **Παρασκευάς Παρασκευόπουλος** και Α' Μηχανικός ο **Ιωάννης Παλαιοκρασσάς**.
Το 1962 μετονομάστηκε **ALFIOS**.
Το 1964 πουλήθηκε στην Atlantic Freighters Ltd.
και μετονομάστηκε **ATLANTIC SAILOR**.
Τον Απρίλιο του 1967 διαλύθηκε στο Καοσιούνγκ.

Built in 1945 by New England Shipbuilding Corporation.
Original name **CHARLES H. SHAW**.
Renamed **LESVOS**
and transferred to Greek management during the war.
Delivered to her Greek owner, **Stavros G. Livanos**,
on **26th December 1946** and registered at Piraeus.
Her Master was **Paraskevas Paraskevopoulos** and Chief Engineer **Ioannis Paleokrassas**.
In 1962 she was renamed **ALFIOS**.
In 1964 she was sold to Atlantic Freighters Ltd.
and renamed **ATLANTIC SAILOR**.
She was scrapped in April, 1967 at Kaohsiung.

Το πλήρωμα του ΜΑΙΑΝΔΡΟΣ, το 1956, στο Σαν Ντιέγκο της Καλιφόρνια.

Officers and crew of the MEANDROS. San Diego, California, 1956.

A. DUNCAN, GRAVESEND

Ναυπηγήθηκε το 1944 από την Southeastern Shipbuilding Corporation.
Αρχικό όνομα **FRANCIS S. BARTOW**.
Μετονομάστηκε **ΘΕΜΙΣΤΟΚΛΗΣ** και
περιήλθε υπό Ελληνική διαχείρηση στη διάρκεια του πολέμου.
Παραδόθηκε στους Έλληνες πλοιοκτήτες του,
Ιόνιον Α.Ε. (Γεώργιος Βεργωτής),
στις **26 Δεκεμβρίου 1946**
και νηολογήθηκε στο Αργοστόλι.
Πλοίαρχος ανέλαβε ο **Νικόλαος Παλαιοκρασσάς**
και Α' Μηχανικός ο **Αντώνιος Λουδάρος**.
Διαλύθηκε στη Γουαμπόα της Κίνας, το Μάϊο του 1971.

Built in 1944 by Southeastern Shipbuilding Corporation.
Original name **FRANCIS S. BARTOW**.
Renamed **THEMISTOCLES**
and transferred to Greek management during the war.
Delivered to her Greek owners, **Ionion S.A. (Georgios Vergottis)**,
on **26th December, 1946**
and registered at Argostoli.
Her Master was **Nicolaos Paleocrassas**
and Chief Engineer **Antonios Loudaros**.
In May, 1971 she was scrapped at Whampoa, China.

Ο πλοιοκτήτης **Γεώργιος Χ. Βεργωτής** (1893-1965), από τα Κουρκουμελάτα της Κεφαλληνίας.
Τριτότοκος υιός του πλοιάρχου **Χαράλαμπου (Ρόκου) Βεργωτή** (1840-1924), ο οποίος θεμελίωσε τη μεγάλη ναυτική οικογένεια της
Κεφαλληνίας. Σπούδασε στην Εμπορική Σχολή της Χάλκης και στη Ναυτική Ακαδημία Μασσαλίας. Από το 1918 εργάστηκε στο
οικογενειακό γραφείο στο Κάρντιφ, συνεργαζόμενος με τους αδελφούς του έως τα μέσα της δεκαετίας του 1930, ενώ από τις παραμονές
του Δευτέρου Παγκοσμίου Πολέμου δραστηριοποιήθηκε ανεξάρτητα στις Η.Π.Α. Στη διάρκεια του Δευτέρου Παγκοσμίου Πολέμου η
οικογένεια Βεργωτή απώλεσε τα πλοία ΙΚΑΡΙΟΝ, ΑΙΓΑΙΟΝ, ΣΠΥΡΟΣ, ΑΝΤΡΕΑΣ, ΕΜΜΥ, ΜΕΜΑΣ, ΚΑΛΥΨΩ ΒΕΡΓΩΤΗ και
ΡΟΚΟΣ ΒΕΡΓΩΤΗΣ.

Shipowner **Georgios Ch. Vergottis** (1893-1965), from Kourkoumelata, Cephalonia. He was the third son of captain **Charalampos
(Rokos) Vergottis** (1840-1924), founder of the well-known shipping family. He studied at the Commercial School of Halki and at the
Nautical Academy of Marseilles. From 1918 onwards, he worked in the family office in Cardiff, together with his brothers,
until the mid-thirties. He moved his shipping activities to the U.S.A. just before World War II. During the war the Vergottis family lost
the vessels, IKARION, AIGAION, SPYROS, ANDREAS, EMMY, MEMAS, KALYPSO VERGOTTIS and ROKOS VERGOTTIS.

Ναυπηγήθηκε το 1943 από την Permanente Metals Corporation, Yard No 1.
Αρχικό όνομα **JAMES J. O'KELLY**.
Παραδόθηκε στους Έλληνες πλοιοκτήτες του, **Υιούς Κωνσταντίνου Λω** και **Απόστολο Κιουζέ Πεζά**,
στις **31 Δεκεμβρίου 1946** και νηολογήθηκε στη Χίο.
Πλοίαρχος ανέλαβε ο **Αλέξανδρος Σκουριαλός**
και Α' Μηχανικός ο **Δημήτριος Λως** ένας εκ των πλοιοκτητών.
Το 1955 πουλήθηκε στην εταιρία West Africa Navigation Ltd.,
μετονομάστηκε **AFRICAN KING** και ύψωσε τη σημαία της Λιβερίας.
Τον Μάϊο του 1963 διαλύθηκε στην Οναχάμα, της Ιαπωνίας.

Κωστής Μ. Λως (1871-1962)
Costis M. Los (1871-1962)

COSTIS LOS

Built in 1943 by Permanente Metals Corporation, Yard No 1.
Original name **JAMES J. O'KELLY**.
Delivered to her Greek owners, **Constantinos Los Sons** and **Apostolos Kiouse Pezas**,
on **31st December, 1946** and registered at Chios.
Her Master was **Alexandros Skourialos**
and Chief Engineer **Demetrios Los**, one of the owners.
In 1955 she was sold to West Africa Navigation Ltd.,
renamed **AFRICAN KING** and raised the Liberian flag.
She was scrapped in May, 1963 at Onahama, Japan.

Οι πλοιοκτήτες, υιοί του **Κωστή Ματθαίου Λω** και εγγονοί του πλοιάρχου **Ματθαίου Λω** (1824-1881), από το Βροντάδο της Χίου.
Όρθιοι από αριστερά: **Νίκος Κ. Λως** (γεν. 1919), **Τάσος Κ. Λως** (1911-1966), **Δημήτριος Κ. Λως** (γεν. 1915).
Καθιστοί από αριστερά: **Αντώνιος Κ. Λως** (γεν. 1925), **Γεώργιος Κ. Λως** (γεν. 1917).
Κατά τη διάρκεια του Δευτέρου Παγκοσμίου Πολέμου απώλεσαν το πλοίο ΔΕΛΦΙΝ.

The shipowners, sons of **Costis M. Los** and grandsons of captain **Matheos Los** (1824-1881), from Vrontados, Chios.
Standing from left : **Nicos C. Los** (b. 1919), **Tassos C. Los** (1911-1966), **Demetrios C. Los** (b. 1915).
Sitting from left: **Antonios C. Los** (b. 1925), **Georgios C. Los** (b. 1917).
During World War II, they lost the steamer DELPHIN.

4 Σεπτεμβρίου 1949, εν πλω στον Ειρηνικό.
Στη μέση ο ανθυποπλοίαρχος Κώστας Ηλιόπουλος, σήμερα εφοπλιστής.

4th September, 1949. Somewhere in the Pacific Ocean.
Second Officer Costas Iliopoulos, today a shipowner, is pictured in the middle.

Στιγμιότυπα από την προσπάθεια
του πληρώματος του ΚΩΣΤΗΣ ΛΩΣ,
υπό την πλοιαρχία του Παντελή Παληού,
για τη διάσωση του ακυβέρνητου
FRANCIS DRAKE, το1949.

The COSTIS LOS,
under the command of
captain Pantelis Palios,
whilst attempting to save
the FRANCIS DRAKE in 1949.

Φωτογραφικά στιγμιότυπα από τη ζωή στο ΚΩΣΤΗΣ ΛΩΣ, της οικογένειας του χιώτη πλοιάρχου Παντελή Παληού. Στη φωτογραφία διακρίνονται, επίσης, ο Α' Μηχανικός Δημήτριος Καμπίτσης, αριστερά και οι αδελφοί Ξυδιά, κάτω αριστερά. Ο εικονιζόμενος υιός του Παντελή Παληού, Σίμος, είναι σήμερα εφοπλιστής.

Pictures from the family album of captain Pantelis Palios, from Chios, on board the COSTIS LOS. Pictured with them are Chief Engineer Demetrios Kampitsis (top left photo) and Xydias brothers (bottom left). The son of Pantelis Palios, Simon, is a shipowner today.

Ναυπηγήθηκε το 1945 από την Delta Shipbuilding Company.
Αρχικό όνομα **JOHN C. PRESTON**. Μετονομάστηκε **ΥΔΡΑ** και περιήλθε υπό Ελληνική διαχείρηση στη διάρκεια του πολέμου.
Παραδόθηκε στους Έλληνες πλοιοκτήτες του, **Κωνσταντίνο Ν. Μίχαλο** και **Νικόλαο Α. Απόδιακο**,
στις **31 Δεκεμβρίου 1946** και νηολογήθηκε στον Πειραιά.
Πλοίαρχος ανέλαβε ο **Πέτρος Νεαμονιτός** και Α' Μηχανικός ο **Μιχαήλ Καραγιάννης**.
Στις 26 Οκτωβρίου 1962, ενώ εκτελούσε το ταξίδι Αρχάγγελος/Καλαί, προσάραξε μεταξύ Καλαί και Καπ Γκριζ Νεζ.
Στις 19 Νοεμβρίου 1962 κόπηκε στα δύο και βυθίστηκε.

Built in 1945 by Delta Shipbuilding Company.
Original name **JOHN C. PRESTON**. Renamed **HYDRA** and transferred to Greek management during the war.
Delivered to her Greek owners, **Constantinos N. Michalos** and **Nicolaos A. Apodiakos**,
on **31st December, 1946** and registered at Piraeus.
Her Master was **Petros Neamonitos** and Chief Engineer **Michael Karagiannis**.
On 26th October, 1962 whilst on a passage from Archangel to Calais, she grounded between Calais and Cap Griz Nez.
On 19th November, 1962 she broke in two and sank.

Ο **Νικόλαος Αχιλλέα Απόδιακος** (γεν. 1912), από τη Χίο,
ανηψιός του Κωνσταντίνου Μίχαλου,
συμπλοιοκτήτης στο Λίμπερτυ ΚΩΣΤΑΣ ΜΙΧΑΛΟΣ.
Κατά τη διάρκεια του Δευτέρου Παγκοσμίου Πολέμου
απώλεσε το πλοίο ΒΙΚΤΩΡΙΑ.

Co-owner of the COSTAS MICHALOS,
Nicolaos A. Apodiakos (b. 1912), from Chios,
nephew of Constantinos Michalos.
During World War II, he lost his steamer VICTORIA.

Ο πλοιοκτήτης **Κωνσταντίνος Ν. Μίχαλος** (1878-1949), από τη Χίο.
Αρχικά, ασχολήθηκε με τις εμπορικές επιχειρήσεις της οικογένειάς του και αργότερα, όταν ο
μεγαλύτερος αδελφός του **Λεωνίδας** δραστηριοποιήθηκε στη ναυτιλία, συνεργάστηκε μαζί του.
Μετά το θάνατό τού Λεωνίδα, το 1926, τέθηκε επικεφαλής των επιχειρήσεων του.
Πριν από τον Πρώτο Παγκόσμιο Πόλεμο αγόρασε την Ανώνυμη Ναυτική και Εμπορική Εταιρία
Μιχαληνός, η οποία ασχολείτο με την εισαγωγή γαιανθράκων από την Αγγλία,
αλλά επέκτεινε τη δραστηριότητά της και στο ναυτιλιακό χώρο.
Ο Κωνσταντίνος Μίχαλος εξελέγη το 1938 πρόεδρος της Ενώσεως Ελλήνων Εφοπλιστών.
Κατά τη διάρκεια του Δευτέρου Παγκοσμίου Πολέμου,
απώλεσε τα πλοία ΑΝΘΙΠΠΗ Ν. ΜΙΧΑΛΟΣ, ΖΗΝΟΒΙΑ και ΛΕΩΝΙΔΑΣ Μ.

Shipowner **Constantinos N. Michalos** (1878-1949), from Chios.
He was initially involved in the family's commercial business and later
he joined his elder brother, **Leonidas**, who had already been active in shipping.
He took over the management of the company, on the death of his brother in 1926.
In the early years of the 20th century, he acquired control
of the Michalinos Maritime & Commercial Co., a company involved
in the importation of coal from England and broadened its activities into shipping.
In 1938, Constantinos Michalos was elected chairman of the Union of Greek Shipowners. During
World War II, he lost the steamers ANTHIPPI N. MICHALOS, ZINOVIA and LEONIDAS M.

A. DUNCAN, GRAVESEND

FOTOFLITE, ASHFORD, KENT, UK

59

ΜΑΡΙΑΜ · MARIAM

Ο Πλοίαρχος Παναγιώτης Βαλαντάσης,
από τις Οινούσσες.

Captain Panaghiotis Valantassis,
from Oinoussai.

Ναυπηγήθηκε το 1944
από την New England Shipbuilding Corporation.
Αρχικό όνομα **LOT MORRILL**. Μετονομάστηκε **ΜΙΑΟΥΛΗΣ**
και περιήλθε υπό Ελληνική διαχείρηση στη διάρκεια του πολέμου.
Παραδόθηκε στους Έλληνες πλοιοκτήτες του,
αδελφούς Αυγερινό και **Ιωάννη Μαυροφίλιππα**,
στις **31 Δεκεμβρίου 1946** και νηολογήθηκε στον Πειραιά.
Πλοίαρχος ανέλαβε ο **Παναγιώτης Βαλαντάσης**
και Α' Μηχανικός ο **Ηλίας Ηλιάδης**.
Το 1960 πουλήθηκε στην Asterion Shipping Co. S.A.
(Όμιλος Μαυροφίλιππα) και μετονομάστηκε **ΑΡΙΣΤΟΝ**.
Τον Οκτώβριο του 1967 διαλύθηκε στο Σακάι.

Built in 1944
by New England Shipbuilding Corporation.
Original name **LOT MORRILL**. Renamed **MIAOULIS**
and transferred to Greek management during the war.
Delivered to her Greek owners, **Mavrofilippas brothers**,
on **31st December, 1946** and registered at Piraeus.
Her Master was **Panaghiotis Valantassis**
and Chief Engineer **Elias Iliadis**.
In 1960 she was sold to Asterion Shipping Co. S.A.
(Mavrofilippas Group) and renamed **ARISTON**.
She was scrapped in October, 1967 at Sakai.

Το ΜΑΡΙΑΜ σε δεξαμενή των Η.Π.Α. το 1948.
Διακρίνεται ο υποπλοίαρχος Αλέξανδρος Μαλλιαρουδάκης.

The MARIAM, in Dry Dock, 1948.
Chief Officer Alexandros Malliaroudakis,
is pictured in front of the vessel.

FOTOFLITE, ASHFORD, KENT, UK

Οι πλοιοκτήτες, πλοίαρχοι **Αυγερινός Μαυροφίλιππας** (γεν. 1904), δεξιά
και **Ιωάννης Μαυροφίλιππας** (1910-1980), αριστερά, από τις Οινούσσες.
Υιοί του πλοιάρχου **Χρήστου Μαυροφίλιππα**, ο οποίος κατάγετο από την Ικαρία.
Προπολεμικώς συμμετείχαν σε συμπλοιοκτησίες, ενώ κατά τη διάρκεια του Δευτέρου
Παγκοσμίου Πολέμου εγκαταστάθηκαν στην Αμερική,
όπου συνέχισαν την ναυτιλιακή τους δραστηριότητα.

The owners, captain **Avgerinos Mavrofilippas** (b. 1904), pictured right
and captain **Ioannis Mavrofilippas** (1910-1980), pictured left, from Oinoussai.
Sons of captain **Christos Mavrofilippas**, from the island of Ikaria.
In the pre-war years they were co-owners of various ships.
During World War II, they continued their activities from the U.S.A.

Ναυπηγήθηκε το 1945 από την New England Shipbuilding Corporation. Αρχικό όνομα **RICHARD D. LYONS**.
Περιήλθε υπό Ελληνική διαχείρηση στη διάρκεια του πολέμου.
Παραδόθηκε στους Έλληνες πλοιοκτήτες του, **Μάρκο** και **Κώστα Ι. Λύρα** και **Γεώργιο Ν. Λύρα (Γαλαξίας Α.Ε.)**,
στις **31 Δεκεμβρίου 1946** και νηολογήθηκε στον Πειραιά.
Πλοίαρχος ανέλαβε ο **Σπυρίδων Φερεντίνος**
και Α' Μηχανικός ο **Φραγκίσκος Γαλιάτσος**.
Διαλύθηκε τον Φεβρουάριο του 1968 στο Χιράο, της Ιαπωνίας.

Built in 1945 by New England Shipbuilding Corporation. Original name **RICHARD D. LYONS**.
Transferred to Greek management during the war.
Delivered to her Greek owners, **Markos** and **Costas J. Lyras** and **Georgios N. Lyras (Galaxias S.A.)**,
on **31st December, 1946** and registered at Piraeus.
Her Master was **Spyridon Ferentinos**
and Chief Engineer **Frangiskos Galiatsos**.
She was scrapped in February, 1968 at Hirao, Japan.

Οι πλοιοκτήτες του **ΡΙΧΑΡΔΟΣ Δ. ΛΑΪΟΝΣ**,
Μάρκος Λύρας (1906-1981), δεξιά
και **Κώστας Λύρας** (γεν. 1910), κάτω δεξιά,
υιοί του πλοιάρχου **Ιωάννη Μ. Λύρα** (1878-1926)
και ο γαμπρός τους πλοίαρχος
Γιώργος Νικολάου Λύρας (1904-1974), αριστερά,
όλοι από τις Οινούσσες.
Το 1936, ίδρυσαν με τον **Κώστα Μ. Λεμό**
το γραφείο Lyras & Lemos Ltd.
Κατά τη διάρκεια του
Δευτέρου Παγκοσμίου Πολέμου,
η οικογένεια Λύρα
απώλεσε το ατμόπλοιο
ΓΑΛΑΞΙΑΣ.

The owners of **RICHARD D. LYONS**,
Markos Lyras (1906-1981), right,
and **Costas Lyras** (b. 1910), below right,
sons of captain
Ioannis M. Lyras (1878-1926)
and their brother in law captain
Georgios N. Lyras (1904-1974), left,
all from the island of Oinoussai.
In 1936, they established
with **Costas M. Lemos**,
the Lyras & Lemos Ltd.
shipping office in London.
During World War II,
Lyras family lost their steamer
GALAXIAS.

A. DUNCAN, GRAVESEND

U. S. NATIONAL ARCHIVES

Το Λίμπερτυ JOSEPH WARREN
Liberty JOSEPH WARREN

A. DUNCAN, GRAVESEND

FOTOFLITE, ASHFORD, KENT, UK

Ναυπηγήθηκε το 1943 από την New England Shipbuilding Corporation. Αρχικό όνομα **JOSEPH WARREN**.
Παραδόθηκε στον Έλληνα πλοιοκτήτη του, **Δημήτρη Δ. Σταθάτο**, στις **2 Ιανουαρίου 1947** και νηολογήθηκε στην Ιθάκη.
Πλοίαρχος ανέλαβε ο **Πέτρος Κουτσουλιέρης** και Α' Μηχανικός ο **Μιχαήλ Κουκουλάρης**.
Το 1965 πουλήθηκε στην εταιρία Deko Trading S.A. (Όμιλος Ωνάση) και μετονομάστηκε **ALBATROS**,
υψώνοντας τη σημαία της Λιβερίας.
Τον Οκτώβριο του 1969 διαλύθηκε στην Ιταλία.

Built in 1943 by New England Shipbuilding Corporation. Original name **JOSEPH WARREN**.
Delivered to her Greek owner, **Demetrios D. Stathatos**, on **2nd January, 1947** and registered at Ithaca.
Her Master was **Petros Koutsoulieris** and Chief Engineer **Michael Koukoularis**.
In 1965 she was sold to Deko Trading S.A. (Onassis Group), renamed **ALBATROS** and raised the Liberian flag.
She was scrapped in October, 1969 in Italy.

Ο **Δημήτριος Σταθάτος** (1884-1976) υιός του **Διονυσίου Ο. Σταθάτου**
και εγγονός του **Όθωνα Α. Σταθάτου**, θεμελιωτή της μεγάλης ιθακήσιας ναυτικής οικογένειας
των Σταθάτων, η οποία ξεκίνησε τη δραστηριότητά της από το Δούναβη,
στα τέλη του 19ου αιώνα, ενώ αργότερα ίδρυσε στο Λονδίνο γραφείο το οποίο διαδραμάτισε
σημαντικό ρόλο στην εξέλιξη της ελληνικής ναυτιλίας στα χρόνια του μεσοπολέμου.
Κατά τη διάρκεια του Δευτέρου Παγκοσμίου Πολέμου, η οικογένεια Σταθάτου απώλεσε τα
πλοία ΕΛΕΝΗ ΣΤΑΘΑΤΟΥ, ΜΑΡΙΑ ΣΤΑΘΑΤΟΥ, ΝΕΜΕΑ και ΔΙΟΝΥΣΙΟΣ ΣΤΑΘΑΤΟΣ.

Demetrios Stathatos (1884-1976), from Ithaca, son of **Dionyssios O. Stathatos**
and grandson of **Othon A. Stathatos**, founder of the well-known shipping establishment.
The Stathatos family commenced its business activities in the Danube at the end of the
19th century and later they founded a shipping office in London, which offered invaluable
services to Greek shipping in the interwar years.
During World War II, the Stathatos family lost the steamers
ELENI STATHATOS, MARIA STATHATOS, NEMEA and DIONYSSIOS STATHATOS.

Ο **Δημήτριος Ι. Νεγρεπόντης** (γεν. 1915),
από τη Χίο, συμπλοιοκτήτης στο Λίμπερτυ
ΜΑΡΙΑ ΣΤΑΘΑΤΟΥ, μαζί με τον θείο του
Δημήτριο Δ. Σταθάτο.

Demetrios J. Negroponte (b. 1915),
from Chios, co-owner of the Liberty
MARIA STATHATOS, pictured
with his uncle Demetrios D. Stathatos.

Ο πλοίαρχος και εφοπλιστής
Γεράσιμος Νικολάου Σταθάτος (1876-1961),
από την Ιθάκη, συμπλοιοκτήτης
στο Λίμπερτυ ΜΑΡΙΑ ΣΤΑΘΑΤΟΥ.
Προπολεμικά συμμετείχε ως συμπλοιοκτήτης
σε πλοία της οικογένειας Σταθάτου.
Στη φωτογραφία εικονίζεται με την σύζυγό του,
στο σπίτι τους στην Ιθάκη.

Captain and shipowner
Gerasimos N. Stathatos (1876-1961),
from Ithaca, co-owner of the Liberty
MARIA STATHATOS.
G. N. Stathatos was also co-owner
of various vessels belonging
to the D. Stathatos Group
in the prewar years.
He is pictured here with his wife.

To Λίμπερτυ LOUIS JOLIET

Liberty LOUIS JOLIET

Ο πλοιοκτήτης, πλοίαρχος **Νικόλαος Γ. Λιβανός** (1891-1968),
από τα Καρδάμυλα της Χίου,
νεώτερος αδελφός του **Σταύρου Γ. Λιβανού**.
Προπολεμικά συνεργάστηκε με τον αδελφό του
ενώ λίγο μετά τον πόλεμο ίδρυσε
ανεξάρτητο γραφείο στον Πειραιά.
Εκλέχθηκε πρόεδρος του
Ναυτικού Επιμελητηρίου της Ελλάδος το 1939.

The owner, Captain **Nicolaos G. Livanos** (1891-1968),
from Kardamyla, Chios, younger brother of **Stavros G. Livanos**.
In the pre-war years, he operated with his brother.
After World War II, he established his own office in Piraeus.
In 1939 he was elected Chairman of the Hellenic Chamber of Shipping.

Ναυπηγήθηκε το 1943 από την Permanente Metals Corporation, Yard No 2. Αρχικό όνομα **LOUIS JOLIET**.
Παραδόθηκε στον Έλληνα πλοιοκτήτη του, **Νικόλαο Γ. Λιβανό**,
στις **2 Ιανουαρίου 1947** και νηολογήθηκε στον Πειραιά.
Πλοίαρχος ανέλαβε ο **Ηλίας Φράγκος** και Α΄ Μηχανικός ο **Ευάγγελος Βολονάκης**.
Το 1960 πουλήθηκε στην J. Livanos & Sons Ltd. και μετονομάστηκε **ΡΙΟ**, υψώνοντας την σημαία του Λιβάνου.
Τον Οκτώβριο του 1968 διαλύθηκε στη Γουαμπόα.

Built in 1943 by Permanente Metals Corporation, Yard No 2. Original name **LOUIS JOLIET**.
Delivered to her Greek owner, **Nicolaos G. Livanos**,
on **2nd January, 1947** and registered at Piraeus.
Her Master was **Elias Frangos** and Chief Engineer **Evangelos Volonakis**.
In 1960 she was sold to J. Livanos & Sons Ltd., renamed **RIO** and raised the flag of Lebanon.
She was scrapped in October, 1968 at Whampoa.

Ο Πλοίαρχος, Ηλίας Φράγκος
και ο υιός του Μάρκος, σήμερα
εφοπλιστής, με φόντο το ΑΛΙΚΗ.

Captain Elias Frangos and his son
Markos, today a shipowner,
pictured in front of the Liberty ALIKI.

Ο πλοίαρχος Αντώνης Κάστανος

Captain Antonis Kastanos

Δεξίωση επί του Λίμπερτυ ΑΛΙΚΗ στην Καλκούτα, 25 Μαρτίου 1953.
Διακρίνεται δεξιά ο Πλοίαρχος, Αντώνιος Κάστανος.

A formal Reception on board the Liberty ALIKI.
Seated on the right is the Master Antonis Kastanos.
Calcutta, 25th March 1953.

Το Λίμπερτυ ΑΛΙΚΗ
ενώ φορτώνει παλιοσίδερα.

The Liberty ALIKI
while being loaded with a cargo of scrap iron.

Ναυπηγήθηκε το 1943 από την Todd Houston Shipbuilding Corporation.
Αρχικό όνομα **HARRY PERCY**.
Παραδόθηκε στον Έλληνα πλοιοκτήτη του,
Εμπορική & Εφοπλιστική Α. Ε. (Αλέξανδρος Νικηφόρου Βλάσωφ),
στις **7 Ιανουαρίου 1947** και νηολογήθηκε στον Πειραιά.
Πλοίαρχος ανέλαβε ο **Ευθύμιος Ζήσιμος**
και Α' Μηχανικός ο **Θεόδωρος Βαλμάς**.
Στις 7 Μαρτίου 1947, ενώ εκτελούσε το πρώτο του ταξίδι από Χάμπτον Ρόουντς
προς Αμβέρσα, φορτωμένο με κάρβουνο, προσάραξε στο Γκούτγουϊν Σάντς,
της νοτιοανατολικής Αγγλίας.
Κόπηκε στα δύο και θεωρήθηκε Ολική Απώλεια.

Built in 1943 by Todd Houston Shipbuilding Corporation.
Original name **HARRY PERCY**.
Delivered to her Greek owners,
Commercial & Shipowning S. A. (Alexandros N. Vlassof),
on **7th January, 1947** and registered at Piraeus.
Her Master was **Efthymios Zisimos**
and Chief Engineer **Theodoros Valmas**.
On 7th March, 1947 whilst on her first voyage from Hampton Roads to Antwerp,
loaded with coal, she grounded
on the Goodwin Sands, off the south east coast of England.
She broke in two and was declared a Total Loss.

The Greek steamer Ira, which broke her back soon after running aground on the Goodwin Sands, is seen close to another vessel which, a year ago, met her fate in this graveyard of ships.

Αποκόμματα αγγλικών εφημερίδων
που αναφέρονται
στο ατύχημα του ΗΡΑ,
με τη χειρόγραφη μαρτυρία
του Α' Μηχανικού
Θεόδωρου Βαλμά.

Press cuttings from
English newspapers
referring to the accident
of the Greek steamer IRA.
Chief Engineer Theodoros Valmas
has written on the left page cutting
"S/S IRA - our ship"
and on the right *"Theodoros"*
indicating himself on the lifeboat.

Survivors from the Greek ship Ira, which broke her back on the Goodwins to-day, come ashore at Deal, followed by the Walmer lifeboat.

The ship broke up with a great bang. According to the lifeboatmen, there was panic among the crew. Thirty-four were saved. Only one man was taken to hospital. Story on PAGE FIVE.

Ο Α' Μηχανικός Θεόδωρος Βαλμάς
(1892-1950) από την Ανδρο.

Chief Engineer Theodoros Valmas
(1892-1950)
from the island of Andros.

A. DUNCAN, GRAVESEND

Ο πλοιοκτήτης, Ελληνορώσος **Αλέξανδρος Νικηφόρου Βλάσωφ**.
Εργάστηκε ως μηχανικός στη Ρωσία.
Στη διάρκεια του μεσοπολέμου έζησε στην Ελλάδα,
όπου ασχολήθηκε και με τη ναυτιλία.
Κατά τον Δεύτερο Παγκόσμιο Πόλεμο απώλεσε το πλοίο ΒΟΡΙΣ.
Μεταπολεμικά έζησε στη Γένοβα.

Greek-Russian shipowner **Alexandros N. Vlassof**.
He worked as an engineer in Russia.
In the interwar years he lived in Greece where he was also
involved in shipping activities.
He lost his steamer BORIS during World War II.
In the postwar years he lived in Genoa.

Ναυπηγήθηκε το 1944 από την New England Shipbuilding Corporation.
Αρχικό όνομα **SUSAN COLBY**.
Παραδόθηκε στον Έλληνα πλοιοκτήτη του, **Εμπορική & Εφοπλιστική Α. Ε. (Αλέξανδρος Νικηφόρου Βλάσωφ)**,
στις **7 Ιανουαρίου 1947** και νηολογήθηκε στον Πειραιά.
Πλοίαρχος ανέλαβε ο **Ιωάννης Ανδρεόπουλος** και Α' Μηχανικός ο **Ηλίας Μητόπουλος**.
Διαλύθηκε τον Αύγουστο του 1968 στο Καοσιούνγκ.

Built in 1944 by New England Shipbuilding Corporation.
Original name **SUSAN COLBY**.
Delivered to her Greek owners, **Commercial & Shipowning S. A. (Alexandros N. Vlassof)**,
on **7th January, 1947** and registered at Piraeus.
Her Master was **Ioannis Andreopoulos** and Chief Engineer **Elias Mitopoulos**.
She was scrapped in August, 1968 at Kaohsiung.

Ναυπηγήθηκε το 1942 από την Bethlehem-Fairfield Shipyard. Αρχικό όνομα **WILLIAM GRAYSON**.

Μετονομάστηκε **ΚΕΡΚΥΡΑ** και περιήλθε υπό Ελληνική διαχείρηση στη διάρκεια του πολέμου.

Παραδόθηκε στους Έλληνες πλοιοκτήτες του, **Υιούς Λεωνίδα Κονδύλη**, στις **8 Ιανουαρίου 1947** και νηολογήθηκε στην Άνδρο.

Πλοίαρχος ανέλαβε ο **Ευάγγελος Κατσίκης** και Α' Μηχανικός ο **Αντώνιος Βαλμάς**.

Το 1957 πουλήθηκε στην Lamyra Shipping Co. Ltd. και μετονομάστηκε **ΑΛΕΞΑΝΔΡΟΣ**.

Το 1962 πουλήθηκε στην Preveza Shipping Co., μετονομάστηκε **ΘΕΟΝΥΜΦΟΣ ΤΗΝΟΥ** και ύψωσε τη σημαία του Λιβάνου.

Τον Ιούνιο του 1968 διαλύθηκε στο Καοσιούνγκ.

Built in 1942 by Bethlehem-Fairfield Shipyard. Original name **WILLIAM GRAYSON**.

Renamed **KERKYRA** and transferred to Greek management during the war.

Delivered to her Greek owners, **Leonidas Condylis Sons**, on **8th January, 1947** and registered at Andros.

Her Master was **Evangelos Katsikis** and Chief Engineer **Antonios Valmas**.

In 1957 she was sold to Lamyra Shipping Co. Ltd. and renamed **ALEXANDROS**.

In 1962 she was sold to Preveza Shipping Co., renamed **THEONYMPHOS TINOU** and raised the flag of Lebanon.

She was scrapped in June, 1968 at Kaohsiung.

Ο πλοιοκτήτης **Νικόλαος Κονδύλης** (1908-1994), από τις παλαιές ναυτικές οικογένειες της Άνδρου.
Απέκτησε το Λίμπερτυ ΑΝΝΑ Λ. ΚΟΝΔΥΛΗ, μαζί με τον αδελφό του **Δημήτριο**.
Ήταν υιοί του πλοιάρχου **Λεωνίδα Ν. Κονδύλη**, ο οποίος εξελίχθηκε σε εφοπλιστή στις αρχές του 20ου αιώνα.

Owner **Nicolaos Condylis** (1908-1994), from Andros.
He purchased the Liberty ANNA L. CONDYLIS, in partnership with his brother **Demetrios**.
Sons of captain **Leonidas N. Condylis**,
who acquired his first steamers in the early years of the 20th century.

FOTOFLITE, ASHFORD, KENT, UK

Ο Κώστας Ραφτάκης,
μέλος του πληρώματος του ΦΩΤΕΙΝΗ.
Μουροράν Ιαπωνίας, 1952.

Costas Raftakis,
member of the crew of FOTINI.
Muroran, Japan, 1952.

Ναυπηγήθηκε το 1944 από την Permanente Metals Corporation, Yard No 1.
Αρχικό όνομα **FRANK J. CUHEL**.
Παραδόθηκε στον Έλληνα πλοιοκτήτη του, **Ιωάννη Μ. Καρρά**,
στις **9 Ιανουαρίου 1947** και νηολογήθηκε στον Πειραιά.
Πλοίαρχος ανέλαβε ο **Νικόλαος Κουκουνάς**
και Α' Μηχανικός ο **Κωνσταντίνος Διακογιώργος**.
Το 1955 πουλήθηκε στην εταιρία Helix Co. Ltd. και μετονομάστηκε **ΑΥΡΑ**.
Στις 18 Ιουλίου 1965, ενώ έπλεε προς Ιαπωνία, παρουσίασε διαρροές σε δύο
αμπάρια, 140 μίλια βόρεια από το Κοτσίν.
Εγκαταλείφθηκε και μετά από μία μέρα βυθίστηκε.

Built in 1944 by Permanente Metals Corporation, Yard No 1.
Original name **FRANK J. CUHEL**.
Delivered to her Greek owner, **Ioannis M. Carras**,
on **9th January, 1947** and registered at Piraeus.
Her Master was **Nicolaos Koukounas**
and Chief Engineer **Constantinos Diakogiorgos**.
In 1955 she was sold to Helix Co. Ltd. and renamed **AVRA**.
On 18th July, 1965 whilst on a passage to Japan, she developed leaks in two
holds, 140 miles north of Cochin.
She was abandoned and sank the following day.

FOTOFLITE, ASHFORD, KENT, UK

Ο πλοιοκτήτης **Ιωάννης Μ. Καρράς**
(γεν. 1915), από τα Καρδάμυλα της Χίου,
ένας από τους κορυφαίους
Έλληνες εφοπλιστές.
Υιός του πλοιάρχου και εφοπλιστή
Μιχαήλ Ι. Καρρά (1883-1963) και εγγονός
του πλοιάρχου **Ιωάννη Ι. Καρρά** (1852-1927).
Τη δεκαετία του 1930 ίδρυσε με τον πατέρα
του στο Λονδίνο,
το ναυτιλιακό γραφείο Carras Ltd.,
ενώ κατά τη διάρκεια του Δευτέρου
Παγκοσμίου Πολέμου
εγκαταστάθηκε στην Αμερική
όπου ανέπτυξε εντυπωσιακή
επιχειρηματική δραστηριότητα.
Κατά τη διάρκεια του πολέμου
η οικογένειά του απώλεσε τα πλοία
ΑΔΕΛΦΟΤΗΣ και ΙΩΑΝΝΗΣ ΚΑΡΡΑΣ.

The owner **Ioannis M. Carras** (b. 1915),
from Kardamyla, Chios,
one of the leading Greek shipowners.
Son of Master Mariner and shipowner
Michael J. Carras (1883-1963) and grandson
of captain **Ioannis J. Carras** (1852-1927).
In the interwar years
he established with his father,
the shipping office Carras Ltd., in London.
During World War II,
he moved to the United States of America,
where his business flourished.
During the war his family lost the steamers
ADELPHOTIS and IOANNIS CARRAS.

Ναυπηγήθηκε το 1943 από την California Shipbuilding Corporation.
Αρχικό όνομα **JOHN DREW**.
Παραδόθηκε στον Έλληνα πλοιοκτήτη του, **Κώστα Μ. Λεμό**,
στις **9 Ιανουαρίου 1947** και νηολογήθηκε στον Πειραιά.
Πλοίαρχος ανέλαβε ο **Γεώργιος Κωστής**
και Α' Μηχανικός ο **Δημήτριος Τσεβδός**.
Το 1960 πουλήθηκε στην Proteus Shipping Company Ltd.
και μετονομάστηκε **ΚΟΡΑΗΣ**.
Το 1966 πουλήθηκε στην United Forward Marine Corporation,
μετονομάστηκε **UNITED ONWARD**
και ύψωσε την σημαία της Λιβερίας.
Το Μάϊο του 1967 διαλύθηκε στο Καοσιούνγκ.

Built in 1943 by California Shipbuilding Corporation.
Original name **JOHN DREW**.
Delivered to her Greek owner, **Costas M. Lemos**,
on **9th January, 1947** and registered at Piraeus.
Her Master was **Georgios Costis**
and Chief Engineer **Demetrios Tsevdos**.
In 1960 she was sold to Proteus Shipping Company Ltd.
and renamed **KORAIS**.
In 1966 she was sold to United Forward Marine Corporation,
renamed **UNITED ONWARD** and raised the Liberian flag.
She was scrapped in May, 1967 at Kaohsiung.

Ο πλοίαρχος Γεώργιος Κωστής (στο μέσον και των δύο φωτογραφιών), με
αξιωματικούς του πλοίου. Στη δεξιά φωτογραφία διακρίνεται πρώτος από αριστερά
ο Α' Μηχανικός Πέτρος Ποντικός (1η Αυγούστου 1947).

Captain Georgios Kostis (in the middle of both photos)
and Officers of the ship. In the right photo (dated 1st August, 1947),
Chief Engineer Petros Pontikos is pictured first from left.

FOTOFLITE, ASHFORD, KENT, UK

Ο πλοιοκτήτης **Κώστας Μιχαήλ Λεμός**
(1910-1995) από τις Οινούσσες.
Από τους μεγαλύτερους σύγχρονους Έλληνες εφοπλιστές.
Σπούδασε Νομικά, ενώ αργότερα εξελίχθη σε εμποροπλοίαρχο
και πλοιάρχευσε σε οικογενειακά πλοία.
Το 1936, ίδρυσε μαζί με τα ξαδέρφια του
Μάρκο και Κώστα Ιωάννου Λύρα, το ναυτιλιακό γραφείο
Lyras & Lemos Ltd. στο Λονδίνο.
Κατά τη διάρκεια του Δευτέρου Παγκοσμίου Πολέμου
εγκαταστάθηκε στις Η.Π.Α.
όπου ως γενικός διευθυντής της Επιτροπής
Ελλήνων Εφοπλιστών Νέας Υόρκης,
διαδραμάτισε σημαντικό ρόλο
στην υπόθεση της απόκτησης των 100 Λίμπερτυς.
Κατά τη διάρκεια του πολέμου
η οικογένειά του απώλεσε τα πλοία
ΑΔΑΜΑΣ, ΑΔΑΜΑΣΤΟΣ και ΑΔΑΜΑΝΤΙΟΣ.

Shipowner **Costas M. Lemos**
(1910-1995) from Oinoussai.
One of the outstanding contemporary Greek shipowners.
He read Law, then he became
a Master Mariner and served on his family vessels.
In 1936, he founded with his cousins
Markos and Costas J. Lyras the shipping firm
Lyras & Lemos Ltd. in London.
During World War II, he lived in the U.S.A.
and became managing director of the
New York Greek Shipowners Committee,
playing a decisive role in the efforts
for the acquisition of the 100 Liberty vessels.
During the war his family lost the vessels
ADAMAS, ADAMASTOS and ADAMANTIOS.

AMBROSE GREENWAY

Το ΚΟΡΑΗΣ, φορτωμένο
με λεωφορεία το 1964.

KORAIS in 1964,
loaded with buses.

Ο πλοιοκτήτης, πλοίαρχος **Δημοσθένης Ι. Δάμπασης** (1877-1957), από την Ανδρο,
υιός του πλοιάρχου και εφοπλιστή **Ιωάννη Δάμπαση**.
Κατά τη διάρκεια του Δευτέρου Παγκοσμίου Πολέμου,
η οικογένεια Ι. Δάμπαση απώλεσε το ατμόπλοιο ΙΩΑΝΝΗΣ.

The owner, captain **Demosthenes J. Dampassis** (1877-1957), from Andros,
son of Master Mariner and shipowner **Ioannis Dambassis**.
During World War II,
the J. Dambassis family lost the steamer IOANNIS.

Ναυπηγήθηκε το 1944 από την Oregon Ship Building Corporation.

Αρχικό όνομα **JOHN W. TROY**.

Παραδόθηκε στον Έλληνα πλοιοκτήτη του, **Δημοσθένη Ι. Δάμπαση**, στις **9 Ιανουαρίου 1947** και νηολογήθηκε στην Άνδρο.

Πλοίαρχος ανέλαβε ο **Βασίλειος Κουτσούκος** και Α' Μηχανικός ο **Νικόλαος Ποπολάνος**.

Το 1961 πουλήθηκε στην Gulf Freighters Corporation (Όμιλος Θεόδωρου Τεργιάζου),

μετονομάστηκε **OCEAN MARINER** και ύψωσε τη σημαία της Λιβερίας.

Διαλύθηκε το Μάρτιο του 1967 στο Σακάι.

Built in 1944 by Oregon Ship Building Corporation.

Original name **JOHN W.TROY**.

Delivered to her Greek owner, **Demosthenes J. Dambassis**, on **9th January, 1947** and registered at Andros.

Her Master was **Vassilios Koutsoukos** and Chief Engineer **Nicolaos Popolanos**.

In 1961 she was sold to Gulf Freighters Corporation (Theodoros Teryazos Group),

renamed **OCEAN MARINER** and raised the Liberian flag.

In March, 1967 she was scrapped at Sakai.

Ο πλοιοκτήτης **Σταύρος Σπύρου Νιάρχος** (1909-1996),
από τη Λακωνία, με τη σύζυγό του **Ευγενία**.
Από τους πλέον διακριθέντες σύγχρονους Έλληνες εφοπλιστές,
με πολυσχιδή και εντυπωσιακή δραστηριότητα.
Σπούδασε Νομικά και ασχολήθηκε
με την επιχείρηση αλευρομύλων ΕΥΡΩΤΑΣ,
των θείων του **αδελφών Κουμαντάρου**.
Τη δεκαετία του 1930, εργάστηκε στο ναυτιλιακό τομέα της
επιχείρησης, ενώ τις παραμονές
του Δευτέρου Παγκοσμίου Πολέμου δραστηριοποιήθηκε
ανεξάρτητα, ιδρύοντας δικό του ναυτιλιακό γραφείο.
Κατά τη διάρκεια του πολέμου, υπηρέτησε σε αντιτορπιλικά του
Βασιλικού Ναυτικού και έλαβε μέρος στη Μάχη του Ατλαντικού
και στην Απόβαση στη Νορμανδία.

The owner, **Stavros S. Niarchos** (1909-1996),
from Lakonia, pictured with his wife **Eugenia**.
One of the most celebrated contemporary Greek shipowners.
He read Law and was later involved in the management
of the EVROTAS flour mill industry, belonging to his uncles,
the **Coumantaros brothers**.
In the early thirties he joined the shipping sector
of the above company and on the eve of World War II,
he established his own shipping firm.
During the war, he served as an officer on board Greek Royal Navy
destroyers and took part in the Battle of the Atlantic
and the D-Day operations.

WELSH INDUSTRIAL & MARITIME MUSEUM

*Το όνομα δόθηκε στο πλοίο,
για να τιμηθεί η μνήμη
του πλοιάρχου Κ. Παπάζογλου,
ο οποίος χάθηκε όταν το πλοίο του,
πλοιοκτησίας Σταύρου Νιάρχου,
τορπιλλίστηκε κατά τη διάρκεια του
Δευτέρου Παγκοσμίου Πολέμου.*

*Captain K. Papazoglou,
was the Master of a steamer owned
by Stavros Niarchos and lost
his life when the vessel was
torpedoed during World War II.*

Ναυπηγήθηκε το 1945 από την St. Johns River Shipbuilding Company.
Αρχικό όνομα **THOMAS L. HALEY**.
Μετονομάστηκε **ΣΠΕΤΣΑΙ** και περιήλθε υπό Ελληνική διαχείρηση στη διάρκεια του πολέμου.
Παραδόθηκε στον Έλληνα πλοιοκτήτη του, **Σταύρο Σ. Νιάρχο**,
στις **9 Ιανουαρίου 1947** και νηολογήθηκε στον Πειραιά.
Πλοίαρχος ανέλαβε ο **Γρηγόριος Παγουλάτος** και Α' Μηχανικός ο **Ιωάννης Μαντελένης**.
Το 1954 πουλήθηκε στην εταιρία Efploia Shipping Corporation Ltd. (Γ. Χ. Λαιμός)
και μετονομάστηκε **ΠΑΝΤΑΝΑΣΣΑ**.
Το 1961 πουλήθηκε στην εταιρία Eftychia Cia. Naviera S.A. (Όμιλος Φραγκίστα),
μετονομάστηκε **ΓΙΩΡΓΟΣ ΤΣΑΚΙΡΟΓΛΟΥ** και ύψωσε τη σημαία του Λιβάνου.
Τον Μάϊο του 1969 διαλύθηκε στη Γουαμπόα.

Built in 1945 by St. Johns River Shipbuilding Company.
Original name **THOMAS L. HALEY**.
Renamed **SPETSAE** and transferred to Greek management during the war.
Delivered to her Greek owner, **Stavros S. Niarchos**, on **9th January, 1947** and registered at Piraeus.
Her Master was **Grigorios Pagoulatos** and Chief Engineer **Ioannis Mantelenis**.
In 1954 she was sold to Efploia Shipping Corporation Ltd. (G. Chr. Lemos)
and renamed **PANTANASSA**.
In 1961 she was sold to Eftychia Cia. Naviera S.A. (Frangistas Group), renamed **GIORGOS TSAKIROGLOU**
and raised the flag of Lebanon.
She was scrapped in May, 1969 at Whampoa.

Ναυπηγήθηκε το 1943 από την Permanente Metals Corporation, Yard No 2.
Αρχικό όνομα **ALEXANDER WILSON**.
Παραδόθηκε στον Ελληνα πλοιοκτήτη του, **Σταύρο Γ. Λιβανό**,
στις **10 Ιανουαρίου 1947** και νηολογήθηκε στον Πειραιά.
Πλοίαρχος ανέλαβε ο **Ηλίας Ανδρεάδης**
και Α' Μηχανικός ο **Σταύρος Σταματίου**.
Στις 5 Απριλίου 1952 ενώ έπλεε από τη Δουνκέρκη στη Σαϊγκόν με γενικό φορτίο,
χτύπησε σε ναυάγιο έξω από τη Σαϊγκόν, προσάραξε, κόπηκε στα δύο και βυθίστηκε.
Τον Μάρτιο του 1954 το πρυμναίο κομμάτι του
ανελκύσθηκε και ρυμουλκήθηκε στο Χονγκ-Κονγκ για διάλυση.

Built in 1943 by Permanente Metals Corporation, Yard No 2.
Original name **ALEXANDER WILSON**.
Delivered to her Greek owner, **Stavros G. Livanos**,
on **10th January, 1947** and registered at Piraeus.
Her Master was **Elias Andreadis**
and Chief Engineer **Stavros Stamatiou**.
On 5th April, 1952 whilst on a passage from Dunkirk to Saigon, with general cargo,
she struck a wreck outside Saigon, grounded, broke in two and sank.
In March, 1954 the stern part
was refloated and towed to Hong-Kong where it was scrapped.

A. TZAMTZIS COLLECTION

Ο πλοιοκτήτης **Σταύρος Γεωργίου Λιβανός** (1887-1963),
από τα Καρδάμυλα της Χίου.
Από τους κορυφαίους Έλληνες εφοπλιστές.
Τριτότοκος υιός του πλοιάρχου **Γεωργίου Μ. Λιβανού**
(1852-1926), θεμελιωτή της οικογενειακής επιχείρησης,
εξελίχθη σε μηχανικό του Εμπορικού Ναυτικού και αργότερα σε
πλοίαρχο. Κατά τη διάρκεια του Πρώτου Παγκοσμίου Πολέμου
ίδρυσε στο Λονδίνο το ναυτιλιακό γραφείο S. Livanos,
ενώ μέχρι τον Δεύτερο Παγκόσμιο Πόλεμο, δημιούργησε με τους
αδελφούς του, έναν από τους μεγαλύτερους ελληνικούς στόλους
της εποχής, ο οποίος συμπεριλάμβανε οκτώ νεότευκτα σκάφη,
που παρέλαβε από τα αγγλικά ναυπηγεία στην περίοδο
1936-1938. Κατά τη διάρκεια του πολέμου ο όμιλος του Σταύρου
Γ. Λιβανού και των αδελφών του απώλεσε τα πλοία
ΜΑΙΡΗ ΛΙΒΑΝΟΥ, ΕΒΡΟΣ, ΜΑΙΑΝΔΡΟΣ, ΑΛΙΚΗ,
ΑΛΙΑΚΜΩΝ, ΑΞΙΟΣ, ΕΥΓΕΝΙΑ ΛΙΒΑΝΟΥ, ΝΕΣΤΟΣ, ΑΘΗΝΑ
ΛΙΒΑΝΟΥ, ΜΙΧΑΗΛ ΛΙΒΑΝΟΣ και Γ. Σ. ΛΙΒΑΝΟΣ.

Stavros G. Livanos (1887-1963),
from Kardamyla, Chios, one of the foremost
celebrated Greek shipowners. He was the third
son of captain **Georgios M. Livanos** (1852-1926).
He became an Engineer as well as a Master Mariner.
During the Great War years,
he established the S. Livanos shipping firm
in London, which became one of the leading
Greek shipping offices, managing a large
fleet which included eight newly built steamers
delivered from British yards
during the years 1936 and 1938.
In World War II,
the Livanos family lost the vessels,
MARY LIVANOS, EVROS, MEANDROS, ALIKI,
ALIAKMON, AXIOS, EUGENIE LIVANOS,
NESTOS, ATHINA LIVANOS, MICHAEL
LIVANOS and G. S. LIVANOS.

Ο πλοίαρχος Γεώργιος Γκιούλης
(1904-1974), από τη Χίο.

Captain Georgios Gioulis
(1904-1974), from Chios.

FOTOFLITE, ASHFORD, KENT, UK

Ναυπηγήθηκε το 1943 από την Permanente Metals Corporation, Yard No 1.
Αρχικό όνομα **JAMES IVES**.
Παραδόθηκε στον Έλληνα πλοιοκτήτη του, **Σταύρο Γ. Λιβανό**,
στις **10 Ιανουαρίου 1947**
και νηολογήθηκε στον Πειραιά.
Πλοίαρχος ανέλαβε ο **Γεώργιος Γκιούλης**
και Α' Μηχανικός ο **Ιωάννης Τσακαλής**.
Διαλύθηκε το Φεβρουάριο του 1967 στο Καοσιούνγκ.

Built in 1943 by Permanente Metals Corporation, Yard No 1.
Original name **JAMES IVES**.
Delivered to her Greek owner, **Stavros G. Livanos**,
on **10th January, 1947**
and registered at Piraeus.
Her Master was **Georgios Gioulis**
and Chief Engineer **Ioannis Tsakalis**.
She was scrapped in February, 1967 at Kaohsiung.

Λίγους μήνες μετά την παραλαβή
του Λίμπερτυ ΑΞΙΟΣ,
ο Σταύρος Λιβανός, παρεχώρησε
τις μετοχές του πλοίου σε στελέχη
της εταιρίας του, μεταξύ
των οποίων οι εικονιζόμενοι,
πλοίαρχος Αντώνης Δημάδης
(αριστερά) και
Ιωάννης Ζαννάρας (δεξιά).

A few months, after the acquisition
of the Liberty AXIOS,
Stavros Livanos, transferred
the ownership of the vessel,
to executives of his company,
including captain
Antonios Dimadis (left)
and Ioannis Zannaras (right).

Ναυπηγήθηκε το 1944 από την Todd Houston Shipbuilding Corporation.

Αρχικό όνομα **ANDREW BRISCOE**.

Παραδόθηκε στον Έλληνα πλοιοκτήτη του, **Γεώργιο Ν. Μοάτσο**, στις **13 Ιανουαρίου 1947** και νηολογήθηκε στα Χανιά.

Πλοίαρχος ανέλαβε ο **Ιωάννης Φαφουτάκης** και Α' Μηχανικός ο **Γεώργιος Βόλης**.

Το 1950 πουλήθηκε στην εταιρία Andros Steamship Co. Ltd.

Τον Φεβρουάριο του 1969 διαλύθηκε στο Σακάιντε, της Ιαπωνίας.

Built in 1944 by Todd Houston Shipbuilding Corporation.

Original name **ANDREW BRISCOE**.

Delivered to her Greek owner, **Georgios N. Moatsos**, on **13th January, 1947** and registered at Chania.

Her Master was **Ioannis Fafoutakis** and Chief Engineer **Georgios Volis**.

In 1950 she was sold to Andros Steamship Co. Ltd.

She was scrapped in February, 1969 at Sakaide, Japan.

Ο πλοιοκτήτης, **Γεώργιος Ν. Μοάτσος**, από την Κρήτη. Ήταν αξιωματικός του Βασιλικού Ναυτικού. Ακολούθησε τον Ελευθέριο Βενιζέλο στην Θεσσαλονίκη το 1917, ενώ στη συνέχεια παραιτήθηκε από το Βασιλικό Ναυτικό και εργάστηκε ως πλοίαρχος του Εμπορικού Ναυτικού. Από τα μέσα της δεκαετίας του 1930 ανέλαβε τη διεύθυνση του ναυτιλιακού οίκου του **Κυριάκου Βενιζέλου** ενώ το 1945 διετέλεσε υπουργός Εμπορικής Ναυτιλίας, στην Κυβέρνηση Νικολάου Πλαστήρα.

The owner, **Georgios N. Moatsos**, from Crete. He was an officer of the Greek Royal Navy. In 1917, he followed Eleftherios Venizelos at Thessaloniki. He resigned from the Navy and served as Captain of the Merchant Marine. In the mid-thirties he was appointed managing director of the **K. Venizelos** shipping office. In 1945, he served as Minister of Merchant Marine in the Government of Nicolaos Plastiras.

DEMOSTHENES

Ναυπηγήθηκε το 1944 από την California Shipbuilding Corporation.
Αρχικό όνομα **EDWARD J. O'BRIEN**.
Παραδόθηκε στους Έλληνες πλοιοκτήτες του,
Αιγαίον Α.Ε. (Γεώργιος Βεργωτής), στις **13 Ιανουαρίου 1947** και νηολογήθηκε στο Αργοστόλι.
Πλοίαρχος ανέλαβε ο **Χαρίλαος Μαρκόπουλος** και Α΄ Μηχανικός ο **Γεώργιος Καλαμαράς**.
Διαλύθηκε τον Ιούνιο του 1967 στο Μπιλμπάο.

Built in 1944 by California Shipbuilding Corporation.
Original name **EDWARD J. O'BRIEN**.
Delivered to her Greek owners,
Aegeon S.A. (Georgios Vergottis), on **13th January, 1947** and registered at Argostoli.
Her Master was **Charilaos Markopoulos** and Chief Engineer **Georgios Kalamaras**.
She was scrapped in June, 1967 at Bilbao.

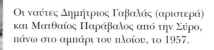

Οι ναύτες Δημήτριος Γαβαλάς (αριστερά)
και Ματθαίος Παράβαλος από την Σύρο,
πάνω στο αμπάρι του πλοίου, το 1957.

AB's Demetrios Gavalas (left)
and Matheos Paravalos from Syra,
on the hatch cover of the ship, in 1957.

Ναυπηγήθηκε το 1944 από την J. A. Jones Construction Co, Wainwright Yard. Αρχικό όνομα **EDWARD K. COLLINS**.
Παραδόθηκε στους Έλληνες πλοιοκτήτες του, **Ατμοπλοΐα Κάσσου Α.Ε.**,
στις **13 Ιανουαρίου 1947** και νηολογήθηκε στη Σύρο.
Πλοίαρχος ανέλαβε ο **Αλέξανδρος Σγουρδαίος** και Α' Μηχανικός ο **Ιωάννης Νικολαΐδης**.
Το 1961 πουλήθηκε στην Compania Naviera Alabastros S.A.
και μετονομάστηκε **ΣΟΥΛΙΩΤΗΣ ΙΙ**.
Το 1963 πουλήθηκε στην Universal Shipping Co. Ltd.,
μετονομάστηκε **UNIVERSAL TRADER** και ύψωσε τη σημαία της Λιβερίας.
Στις 9 Μαρτίου 1968, ενώ έπλεε από τη Γκντύνια στο Τσιταγκόνγκ,
έπιασε φωτιά και προσάραξε στην Κεϋλάνη.
Εγκαταλείφθηκε και εννέα μέρες αργότερα, κόπηκε στα δύο και βυθίστηκε.

Built in 1944 by J. A. Jones Construction Co, Wainwright Yard.
Original name **EDWARD K. COLLINS**.
Delivered to her Greek owners, **Kassos Steam Navigation Company S.A. Syra**,
on **13th January, 1947** and registered at Syros.
Her Master was **Alexandros Sgourdeos** and Chief Engineer **Ioannis Nikolaidis**.
In 1961 she was sold to Compania Naviera Alabastros S.A.
and renamed **SOULIOTIS II**.
In 1963 she was sold to Universal Shipping Co. Ltd.,
renamed **UNIVERSAL TRADER** and raised the Liberian flag.
On 9th March, 1968 whilst on a passage from Gdynia to Chittagong,
she caught fire and ran aground at Ceylon.
She was abandoned and nine days later, she broke in two and sank.

Ο πλοίαρχος
Αλέξανδρος Σγουρδαίος
από την Σύρο.

Captain
Alexandros Sgourdeos
from Syra.

Το Φεβρουάριο του 1957 το α/π ΧΕΛΑΤΡΟΣ,
ενώ έπλεε προς την Ιαπωνία φορτωμένο με
παλιοσίδερα, συγκρούστηκε στον ποταμό
Μισσισσιππή με το α/π ΜΑΥΑ,
λόγω της πυκνής ομίχλης που
επικρατούσε στην περιοχή.
Το πλοίο υπέστη σοβαρό ρήγμα και ρυμουλκήθηκε
στα ναυπηγεία Todd της Νέας Ορλεάνης.
Στις φωτογραφίες εικονίζεται περιμένοντας το
δεξαμενισμό του και κατά τη διάρκεια επισκευών.

In February 1957 the s/s CHELATROS,
fully laden with scrap iron, whilst on a passage
to Japan, collided head on with the s/s MAYA,
in the lower Mississippi River, due to dense fog.
The CHELATROS, was split open from forecastle
to keel and was towed back 25 miles to New Orleans
in a near sinking condition.
She is pictured at Todd's Shipyard wet berth,
awaiting drydock and during her repairs.

Ναυπηγήθηκε το 1943 από την Oregon Ship Building Corporation.
Αρχικό όνομα **W.W. McCRACKIN.**
Παραδόθηκε στον Έλληνα πλοιοκτήτη του, **Μαρτή Γ. Κουλουκουντή**,
στις **22 Ιανουαρίου 1947** και νηολογήθηκε στον Πειραιά.
Πλοίαρχος ανέλαβε ο **Χρήστος Θεοδώρου**
και Α' Μηχανικός ο **Στέφανος Παπαδόπουλος**.
Το 1952 περιήλθε στην πλοιοκτησία του Αντωνίου Γ. Παππαδάκη.
Το 1961 πουλήθηκε στην Valoria Compania Naviera S.A.
(Όμιλος Α. Παππαδάκη και κληρονόμοι Γ. Κουλουκουντή) και μετονομάστηκε
ΚΑΠΤΑΙΝ ΤΖΩΡΤΖ. Στις 14 Νοεμβρίου του 1962 ενώ εκτελούσε το ταξίδι
Νέα Ορλεάνη/Ουμ Σάιντ, εκδηλώθηκε πυρκαγιά και έκρηξη,
300 μίλια βορειοανατολικά της Βερμούδας.
Εγκαταλείφθηκε και στις 18 του μηνός βυθίστηκε.

Built in 1943 by Oregon Ship Building Corporation.
Original name **W.W. McCRACKIN**.
Delivered to her Greek owners, **Martis G. Culucundis**,
on **22nd January, 1947** and registered at Piraeus.
Her Master was **Christos Theodorou**
and Chief Engineer **Stefanos Papadopoulos**.
In 1952 she was sold to Antonios G. Pappadakis. In 1961 she was sold to
Valoria Compania Naviera S.A.,
(A. Pappadakis Group and G. Culucundis heirs)
and renamed **CAPTAIN GEORGE**.
On 14th November, 1962 whilst on a passage from New Orleans to Umm
Said, fire broke out followed by an explosion, 300 miles north east of
Bermuda Island. She was abanonded and on 18th November, she sank.

Ο Πλοίαρχος, Χρήστος Θεοδώρου
(1894-1972), από τη Μύκονο.

Captain Christos Theodorou
(1894-1972), from the island
of Mykonos.

Ο πλοιοκτήτης **Γεώργιος Μ. Κουλουκουντής** (1882-1951),
υιός του Κασσιώτη πλοιάρχου και εφοπλιστή **Μαρτή Η. Κουλουκουντή** (1842-1928).
Φοίτησε σε Σχολή Μηχανικών Ε. Ν. στην Αγγλία, ταξίδεψε ως μηχανικός και στη συνέχεια
αφού απέκτησε και το δίπλωμα του πλοιάρχου, πλοιάρχευσε σε πλοία της οικογενείας του.
Κατά τη διάρκεια του μεσοπολέμου, ανέπτυξε εφοπλιστική δραστηριότητα από το Γαλάτσι
της Ρουμανίας, σε συνεργασία με τον γυναικάδελφό του **Αντώνη Παππαδάκη**.
Το 1935 επέστρεψε στην Ελλάδα και δραστηριοποιήθηκε ανεξάρτητα.
Στο Δεύτερο Παγκόσμιο Πόλεμο απώλεσε τα πλοία
ΜΑΟΥΝΤ ΚΙΘΑΙΡΩΝ, ΜΑΡΙΑ Γ. ΚΟΥΛΟΥΚΟΥΝΤΗ και ΚΑΤΕΡΙΝΑ.

The owner **Georgios M. Culucundis** (1882-1951),
son of the Kassian Master Mariner and shipowner **Martis E. Culucundis** (1842-1928).
Following his studies in England, he was qualified as a ships's engineer
and later he became a Master Mariner.
In the interwar period, he lived in
Galatz, Romania, where he was involved in shipping operations
with his brother in law, **Antonios Pappadakis**.
In 1935 he returned to Greece, where he established his own office.
During World War II, he lost the vessels
MOUNT KITHERON, MARIA G. CULUCUNDIS and KATERINA.

Ναυπηγήθηκε το 1944
από την Southeastern Shipbuilding Corporation.
Αρχικό όνομα **CLARK HOWELL**.
Παραδόθηκε στον Έλληνα πλοιοκτήτη του,
Δημήτριο Δ. Σταθάτο, στις **23 Ιανουαρίου 1947**
και νηολογήθηκε στην Ιθάκη.
Πλοίαρχος ανέλαβε ο **Ευστάθιος Παξινός**
και Α' Μηχανικός ο **Κωνσταντίνος Πηλιχός**.
Τον Μάϊο του 1967 διαλύθηκε στη Σαγκάη.

Built in 1944
by Southeastern Shipbuilding Corporation.
Original name **CLARK HOWELL**.
Delivered to her Greek owner, **Demetrios D. Stathatos**,
on **23rd January, 1947** and registered at Ithaca.
Her Master was **Efstathios Paxinos**
and Chief Engineer **Constantinos Pilichos**.
She was scrapped in May, 1967 at Shanghai.

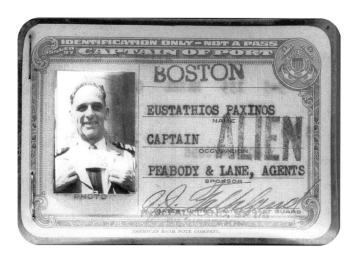

Ο Πλοίαρχος, **Ευστάθιος Θωμά Παξινός** (1891-1958), από την Ιθάκη.
Από την αρχή της ναυτικής του σταδιοδρομίας
υπηρέτησε σε πλοία της οικογένειας Σταθάτου.
Ήταν συμπλοιοκτήτης στο ΕΠΤΑΝΗΣΟΣ,
καθώς και στο Λίμπερτυ ΕΛΕΝΗ ΣΤΑΘΑΤΟΥ.
Η εικονιζόμενη ταυτότητά του εκδόθηκε το 1945 στις Η.Π.Α.

The Master of the ERTANISSOS, **Efstathios Th. Paxinos** (1891-1958), from Ithaca.
He served throughout his career on board vessels owned by the Stathatos family.
He was co-owner of the ERTANISSOS and a shareholder
in the ownership of the Liberty ELENI STATHATOS.
Captain Paxinos's I.D., shown above, was issued in the U.S.A. in 1945.

Ο Πλοίαρχος, Διονύσιος Πατρώνας (1896-1964),
από το Βροντάδο της Χίου.

Captain Dionyssios Patronas (1896-1964),
from Vrontados, Chios.

Το Λίμπερτυ JOSHUA A. LEACH
στη διάρκεια του πολέμου.

The Liberty JOSHUA A. LEACH
during the war.

Ναυπηγήθηκε το 1943 από την Todd Houston Shipbuilding Corporation.
Αρχικό όνομα **JOSHUA A. LEACH**. Παραδόθηκε στον Έλληνα πλοιοκτήτη του, **Σταύρο Γ. Λιβανό**,
στις **23 Ιανουρίου 1947** και νηολογήθηκε στον Πειραιά.
Πλοίαρχος ανέλαβε ο **Διονύσιος Πατρώνας** και Α' Μηχανικός ο **Ευστράτιος Τζουζάς.**
Το 1961 πουλήθηκε στην εταιρία Prekookeanska Plovidba, μετονομάστηκε **BAR** και ύψωσε τη σημαία της Γιουγκοσλαβίας.
Στις 17 Φεβρουαρίου 1967 προσάραξε έξω από το Σπλιτ λόγω κακοκαιρίας, ενώ εκτελούσε το ταξίδι Σπλιτ/Αυγούστα.
Θεωρήθηκε Τεκμαρτή Ολική Απώλεια και στις 27 Φεβρουαρίου του ίδιου χρόνου διαλύθηκε.

Built in 1943 by Todd Houston Shipbuilding Corporation.
Original name **JOSHUA A. LEACH**. Delivered to her Greek owner, **Stavros G. Livanos**,
on **23rd January, 1947** and registered at Piraeus.
Her Master was **Dionyssios Patronas** and Chief Engineer **Efstratios Tzouzas.**
In 1961 she was sold to Prekookeanska Plovidba, renamed **BAR** and raised the flag of Yugoslavia.
On 17th February, 1967 whilst on a passage from Split to Augusta, she grounded off Split in heavy weather.
Declared a Constructive Total Loss and on 27th February the same year she was scrapped.

U. S. NATIONAL ARCHIVES

Ναυπηγήθηκε το 1943 από την Southeastern Shipbuilding Corporation.
Αρχικό όνομα **EDWIN L. GODKIN**.
Παραδόθηκε στον Έλληνα πλοιοκτήτη του, **Θωμά Ν. Επιφανιάδη**,
στις **27 Ιανουαρίου 1947** και νηολογήθηκε στον Πειραιά.
Πλοίαρχος ανέλαβε ο **Κωνσταντίνος Δροσόπουλος**
και Α' Μηχανικός ο **Κωνσταντίνος Κανταράκης**.
Το 1961 πουλήθηκε στην παναμαϊκή εταιρία Marestella Cia Naviera S.A.
και μετονομάστηκε **ΕΡΕΤΡΙΑ**.
Το 1967 πουλήθηκε στην παναμαϊκή εταιρία Katerina Cia Naviera S.A.,
μετονομάστηκε **ΕΡΑΤΩ**
και ύψωσε την σημαία της Σομαλίας.
Διαλύθηκε τον Ιούνιο του 1971 στο Καστελλόν της Ισπανίας.

Built in 1943 by Southeastern Shipbuilding Corporation.
Original name **EDWIN L. GODKIN**.
Delivered to her Greek owner, **Thomas N. Epiphaniades**,
on **27th January, 1947** and registered at Piraeus.
Her Master was **Constantinos Drosopoulos**
and Chief Engineer **Constantinos Kantarakis**.
In 1961 she was sold to the Panamanian company Marestella Cia Naviera S.A.
and renamed **ERETRIA**.
In 1967 she was sold to the Panamanian company Katerina Cia Naviera S.A.,
and renamed **ERATO**
raising the flag of Somalia.
She was scrapped in June, 1971 at Castellon, Spain.

Ο πλοιοκτήτης **Θωμάς Νικολάου Επιφανιάδης** (1886-1968) από τη Σκιάθο, απέκτησε τα πρώτα του πλοία στη Ρωσία, όπου έζησε τη δεύτερη δεκαετία του 20ου αιώνα. Αργότερα εγκαταστάθηκε στον Πειραιά και ασχολήθηκε με την μεταφορά κάρβουνου για τους σιδηροδρόμους, από την Αγγλία στην Ελλάδα.
Κατά τη διάρκεια του Δευτέρου Παγκοσμίου Πολέμου έχασε όλο του το στόλο ο οποίος αποτελείτο από τα πλοία ΑΓΑΛΙΑΝΗ, ΓΕΩΡΓΙΟΣ Π., ΚΕΧΡΕΑ, ΚΟΝΙΣΤΡΑ και ΘΕΔΟΛ 2. Το ΓΕΩΡΓΙΟΣ Π., αφού φορτώθηκε με τσιμέντο, βυθίστηκε σκοπίμως από τους Συμμάχους για την εξυπηρέτηση της επιχείρησης της Απόβασης στη Νορμανδία.

Shipowner **Thomas N. Epiphaniades** (1886-1968) from Skiathos, acquired his first ships in Russia, where he lived during the second decade of the 20th century. He later moved to Piraeus and was involved in the carriage of coal from England to Greece for the use of the railways. During World War II, he lost all his fleet consisting of the ships AGALIANI, GEORGIOS P., KEHREA, KONISTRA and THEDOL 2. The GEORGIOS P., was loaded with cement and was scuttled by the Allies to facilitate the D-Day operations.

Ο Α' Μηχανικός Δημήτριος Ιβος, από την Εύβοια,
με αξιωματικούς και μέλη του πληρώματος της μηχανής.

Chief Engineer Demetrios Ivos,
with officers and members of the engine crew.

Ο πλοιοκτήτης **Πανάγος Κωστή Λαιμός** (1910-1979), από τις Οινούσσες.
Εξελίχθη σε πλοίαρχο του Εμπορικού Ναυτικού και κατά τη διάρκεια του μεσοπολέμου
απέκτησε δικά του ατμόπλοια.

Shipowner **Panagos K. Lemos** (1910-1979), from Oinoussai.
He became a Master Mariner.
During the interwar period he acquired his own steamships.

Ναυπηγήθηκε το 1943 από την Permanente Metals Corporation, Yard No 1.
Αρχικό όνομα **ANSON BURLINGAME**.
Παραδόθηκε στον Έλληνα πλοιοκτήτη του, **Πανάγο Κ. Λαιμό**, στις **28 Ιανουαρίου 1947** και νηολογήθηκε στη Χίο.
Πλοίαρχος ανέλαβε ο **Παναγής Μαντάς** και Α' Μηχανικός ο **Δημήτριος Ιβος.**
Στις 31 Δεκεμβρίου 1950, ενώ έπλεε από το Βανκούβερ στη Βομβάη, εξώκειλε ένα μίλι νότια
από το Λαγκαγιάν Πόιντ της Νήσου Κάμιγκουιν, των Φιλιππίνων.
Κόπηκε στα δύο και θεωρήθηκε Ολική Απώλεια.

Built in 1943 by Permanente Metals Corporation, Yard No 1.
Original name **ANSON BURLINGAME.**
Delivered to her Greek owner, **Panagos K. Lemos**, on **28th January, 1947** and registered at Chios.
Her Master was **Panagis Mantas** and Chief Engineer **Demetrios Ivos**.
On 31st December, 1950 whilst on a passage from Vancouver to Bombay,
she went ashore one mile south of Lagayan Point, Camiguin Island, Philippines.
She broke in two and was declared a Total Loss.

Το ΚΩΣΤΗΣ ΛΑΙΜΟΣ, προσαραγμένο και κομμένο στα δύο, μετά το ατύχημα.
KOSTIS LEMOS, broken in two, after the grounding.

Ναυπηγήθηκε το 1943 από την Permanente Metals Corporation, Yard No 2.

Αρχικό όνομα **KEITH VAWTER**.

Παραδόθηκε στους Έλληνες πλοιοκτήτες του, **Ελληνική Α.Ε. (Όμιλος Περικλή Γ. Καλλιμανόπουλου)**,

στις **28 Ιανουαρίου 1947**

και νηολογήθηκε στον Πειραιά.

Πλοίαρχος ανέλαβε ο **Θεμιστοκλής Βλασσόπουλος**

και Α' Μηχανικός ο **Μάρκος Τσιρλής**.

Το 1970 πουλήθηκε στην εταιρία Pleiades Shipping Ltd.,

μετονομάστηκε **ΑΓΙΟΣ ΝΙΚΟΛΑΟΣ**

και ύψωσε την κυπριακή σημαία.

Τον Ιούνιο του 1972 διαλύθηκε στην Κωνσταντινούπολη.

HELLENIC STAR

Built in 1943 by Permanente Metals Corporation, Yard No 2.
Original name **KEITH VAWTER**.
Delivered to her Greek owners, **Hellenic Lines S.A. (Pericles G. Callimanopulos Group)**,
on **28th January, 1947**
and registered at Piraeus.
Her Master was **Themistocles Vlassopulos**
and Chief Engineer **Markos Tsirlis**.
In 1970 she was sold to Pleiades Shipping Ltd.,
renamed **AGHIOS NICOLAOS**
and raised the Cypriot flag.
In June, 1972 she was scrapped at Constantinople.

A. DUNCAN, GRAVESEND

Ναυπηγήθηκε το 1943 από την New England Shipbuilding Corporation.
Αρχικό όνομα **MARY LYON**.
Παραδόθηκε στον Έλληνα πλοιοκτήτη του, **Σταύρο Γ. Λιβανό**,
στις **28 Ιανουαρίου 1947** και νηολογήθηκε στον Πειραιά.
Πλοίαρχος ανέλαβε ο **Στέφανος - Ιωάννης Σβώκος**
και Α' Μηχανικός ο **Παντελής Δρίτσας**.
Το 1961 πουλήθηκε στην εταιρία Jadranska Slobodna Plovidba,
μετονομάστηκε **KASTELA** και ύψωσε τη γιουγκοσλαβική σημαία.
Στις 3 Αυγούστου 1963, ενώ έπλεε από το Τσώρτσιλ στο Ηνωμένο Βασίλειο,
παρουσίασε διαρροή
καθώς διέσχιζε την παγωμένη περιοχή του Χάτσον Στρέιτ.
Την επόμενη μέρα βυθίστηκε έξω από το Ακρωτήρι Γούλστενχολμ,
500 μίλια βορειοανατολικά του Τσώρτσιλ.

Built in 1943 by New England Shipbuilding Corporation.
Original name **MARY LYON**.
Delivered to her Greek owner, **Stavros G.Livanos**,
on **28th January, 1947** and registered at Piraeus.
Her Master was **Stefanos - Ioannis Svokos**
and Chief Engineer **Pantelis Dritsas**.
In 1961 she was sold to Jadranska Slobodna Plovidba,
renamed **KASTELA** and raised the flag of Yugoslavia.
On 3rd August, 1963 whilst on a passage from Churchill to the United Kingdom,
she developed leaks as a result of striking ice in the Hudson Straits.
The next day she sank off Cape Wolstenholme,
500 miles northeast of Churchill.

Ο πλοίαρχος Στέφανος - Ιωάννης Σβώκος,
από τη Χίο.

Captain Stefanos - Ioannis Svokos,
from Chios.

Ο πλοιοκτήτης **Θεόδωρος Λεοντίου Τεργιάζος**
(1918-1981) από τη Θράκη,
ανέλαβε την διεύθυνση της οικογενειακής
ναυτιλιακής επιχείρησης το 1936,
μετά τον αιφνίδιο θάνατο του πατέρα του
Λεοντίου Τεργιάζου (1878-1936),
ο οποίος είχε δραστηριοποιηθεί
στο ναυτιλιακό χώρο από το 1908.
Τις παραμονές του
Δευτέρου Παγκοσμίου Πολέμου
η οικογένεια Τεργιάζου, διαχειρίζετο
τα πλοία ΘΕΟΔΩΡΟΣ Τ., ΘΑΣΟΣ,
ΘΡΑΚΗ, ΑΙΚΑΤΕΡΙΝΗ Τ. και ΑΝΝΑ Τ.,
από τα οποία διεσώθη μόνο το τελευταίο.

The owner **Theodoros L. Teryazos**
(1918-1981), from Thrace
took over the management
of the family shipping business, in 1936,
following the sudden death of his father
Leontios Teryazos (1878-1936), who was
involved in shipping from the early years of the
20th century in Constantinople.
On the eve of World War II,
the Teryazos family owned the vessels
THEODOROS T., THASSOS, THRAKI,
AIKATERINI T. and ANNA T.,
which was the only one
to survive the war.

Ναυπηγήθηκε το 1943 από την
Oregon Ship Building Corporation.
Αρχικό όνομα **THOMAS CONDON**.
Παραδόθηκε στον Έλληνα πλοιοκτήτη του,
Θεόδωρο Λ. Τεργιάζο,
στις **28 Ιανουαρίου 1947**
και νηολογήθηκε στον Πειραιά.
Πλοίαρχος ανέλαβε ο **Δημήτριος Μπελεσιώτης**
και Α' Μηχανικός ο **Ιωάννης Παναγόπουλος**.
Τον Οκτώβριο του 1967 διαλύθηκε στο Χιράο.

Built in 1943 by
Oregon Ship Building Corporation.
Original name **THOMAS CONDON.**
Delivered to her Greek owner,
Theodoros L. Teryazos,
on **28th January, 1947**
and registered at Piraeus.
Her Master was **Demetrios Belessiotis**
and Chief Engineer **Ioannis Panagopoulos**.
She was scrapped in October, 1967 at Hirao.

Θεόδωρος Λ. Τεργιάζος
Theodoros L. Teryazos

Ναυπηγήθηκε το 1944 από την St. Johns River Shipbuilding Company.
Αρχικό όνομα **JAMES L. ACKERSON**.
Παραδόθηκε στον Έλληνα πλοιοκτήτη του, **Σταύρο Σ. Νιάρχο**,
στις **29 Ιανουαρίου 1947** και νηολογήθηκε στον Πειραιά.
Πλοίαρχος ανέλαβε ο **Θεμιστοκλής Καλαφάτης**
και Α΄ Μηχανικός ο **Δημήτριος Κρουστόπουλος**.
Το 1952 πουλήθηκε στην εταιρία Tropis Co. Ltd. (Όμιλος Ι. Μ. Καρρά)
και μετονομάστηκε **ΑΡΤΕΜΙΣ**.
Τον Μάρτιο του 1967 διαλύθηκε στο Ικέντο της Ιαπωνίας.

Built in 1944 by St. Johns River Shipbuilding Company.
Original name **JAMES L. ACKERSON**.
Delivered to her Greek owner, **Stavros S. Niarchos**,
on **29th January, 1947** and registered at Piraeus.
Her Master was **Themistocles Kalafatis**
and Chief Engineer **Demetrios Kroustopoulos**.
In 1952 she was sold to Tropis Co. Ltd. (I. M. Carras Group)
and renamed **ARTEMIS**.
She was scrapped in March, 1967 at Ikedo, Japan.

Ο Πλοίαρχος,
Θεμιστοκλής Καλαφάτης,
από τη Σύρο.

Captain
Themistocles Kalafatis,
from Syra.

FOTOFLITE, ASHFORD, KENT, UK

*Το όνομα δόθηκε στο πλοίο, για να τιμηθεί η μνήμη του ιθακήσιου πλοιάρχου Ιωάννη Ματαράγκα,
ο οποίος χάθηκε μαζί με το πλοίο του BAYOU, πλοιοκτησίας Σταύρου Νιάρχου, το οποίο τορπιλλίστηκε στις 28 Φεβρουαρίου 1942.*

*Captain John Matarangas, from the island of Ithaca, was the Master of the steamer BAYOU, owned by Stavros Niarchos.
Captain Matarangas and his crew lost their lives when the BAYOU was torpedoed by the Germans, on 28th, February 1942.*

Ναυπηγήθηκε το 1944 από την J. A. Jones Construction Co, Wainwright Yard.
Αρχικό όνομα **CHIEF OSCEOLA**.
Παραδόθηκε στους Έλληνες πλοιοκτήτες του **Δημήτριο, Αλκιμο** και **Πάνο Γ. Γράτσο**,
στις **30 Ιανουαρίου 1947** και νηολογήθηκε στην Ιθάκη.
Πλοίαρχος ανέλαβε ο **Γεώργιος Τριλίβας** και Α' Μηχανικός ο **Ιωάννης Γεωργαντόπουλος**.
Στις 26 Ιουλίου 1965 προσάραξε στο Τσακάο Τσάνελ, της Χιλής.
Αποκολήθηκε με σοβαρές ζημιές. Κατέπλευσε στον Πειραιά όπου παροπλίστηκε.
Διαλύθηκε το Μάϊο του 1967 στη Βαλέντσια.

Built in 1944 by J. A. Jones Construction Co, Wainwright Yard.
Original name **CHIEF OSCEOLA**.
Delivered to her Greek owners, **Demetrios, Alkimos** and **Panos G. Gratsos**,
on **30th January, 1947** and registered at Ithaca.
Her Master was **Georgios Trilivas** and Chief Engineer **Ioannis Georgantopoulos**.
On 26th July, 1965 she grounded in Chacao Channel, Chile
and was refloated with serious damages. She sailed to Piraeus and was laid-up.
In May, 1967 she was scrapped at Valencia.

Ο Πλοίαρχος,
Γεώργιος Τριλίβας,
από την Ιθάκη.

Captain
Georgios Trilivas,
from Ithaca.

A. DUNCAN, GRAVESEND

Αλκιμος Γ. Γράτσος (1907-1987)

Alkimos G. Gratsos (1907-1987)

Πάνος Γ. Γράτσος (1909-1990)

Panos G. Gratsos (1909-1990)

Οι πλοιοκτήτες **Δημήτριος**, **Αλκιμος** και
Πάνος Γ. Γράτσος, ήταν υιοί του ιθακήσιου πλοιάρχου
και εφοπλιστή **Γεωργίου Γράτσου** (1869-1931),
ο οποίος πλοιάρχευσε γιά πολλά έτη
σε πλοία της οικογένειας Σταθάτου και αργότερα
συμμετείχε ως συμπλοιοκτήτης σε πλοία των
γυναικαδέλφων του, **αδελφών Δρακούλη**.
Από το 1924 δραστηριοποιήθηκε ανεξάρτητα,
μαζί με τους υιούς του δημιουργώντας
δικό τους στόλο ατμοπλοίων.
Κατά τη διάρκεια του Δευτέρου Παγκοσμίου Πολέμου
οι Αδελφοί Γράτσου απώλεσαν το ατμόπλοιο ΚΑΣΤΩΡ.

The owners **Demetrios**, **Alkimos** and **Panos G. Gratsos**,
sons of Master Mariner and shipowner
Georgios Gratsos (1869-1931), from Ithaca.
Georgios Gratsos served as captain of various ships,
belonging to the Stathatos Group, before joining the
Group of his brothers in-law, the **Dracoulis Brothers**.
In 1924 he acquired his own steamer and operated since
then with the assistance of his sons.
During World War II, the Gratsos Brothers
lost their steamer KASTOR.

Ο Πλοίαρχος,
Ιωάννης Μουστακαρίας,
από την Ιθάκη.

Captain
Ioannis Moustakarias,
from Ithaca.

Η οικογένεια
του πλοιάρχου
Ιωάννη Μουστακαρία,
στη γέφυρα του
ΓΕΩΡΓΙΟΣ Δ. ΓΡΑΤΣΟΣ.
Δεξιά με την
κόρη του Ελένη
και αριστερά
η σύζυγός του Αφροδίτη.

The family of captain
Ioannis Moustakarias,
on the bridge of
GEORGIOS D. GRATSOS.
Captain Moustakarias
is pictured
on the right with
his daughter Eleni.
His wife Afroditi,
is on the left photo.

Ναυπηγήθηκε το 1943 από την Permanente Metals Corporation, Yard No 1.
Αρχικό όνομα **CYRUS HAMLIN**.
Παραδόθηκε στον Ελληνα πλοιοκτήτη του, **Αντώνη Γ. Παππαδάκη**,
στις **31 Ιανουαρίου 1947** και νηολογήθηκε στον Πειραιά.
Πλοίαρχος ανέλαβε ο **Λεωνίδας Καπνής** και Α' Μηχανικός ο **Πέτρος Ανδρουλιδάκης**.
Το 1964 πουλήθηκε στην εταιρία Marfrontera Cia. Naviera και μετονομάστηκε **AMEDEO**.
Τον Απρίλιο του 1967 διαλύθηκε στο Καοσιούνγκ.

Built in 1943 by Permanente Metals Corporation, Yard No 1.
Original name **CYRUS HAMLIN**.
Delivered to her Greek owner, **Antonios G. Pappadakis**,
on **31st January, 1947** and registered at Piraeus.
Her Master was **Leonidas Kapnis** and Chief Engineer **Petros Androulidakis**.
In 1964 she was sold to Marfrontera Cia. Naviera and renamed **AMEDEO**.
She was scrapped in April, 1967 at Kaohsiung.

FOTOFLITE, ASHFORD, KENT, UK

A. DUNCAN, GRAVESEND

Ο πλοιοκτήτης **Αντώνης Γεωργίου Παππαδάκης** (1900-1981),
από τους διακριθέντες σύγχρονους Έλληνες εφοπλιστές.
Ήταν υιός του κασσιώτη πλοιάρχου **Γεωργίου Παππαδάκη**, ο οποίος χάθηκε
πρόωρα σε τραγικό ατύχημα το 1906 στην Αίγυπτο.
Μετά τον Πρώτο Παγκόσμιο Πόλεμο εγκαταστάθηκε στη Ρουμανία
με τον γαμπρό του **Γεώργιο Μ. Κουλουκουντή** και το 1928 απέκτησε το πρώτο
του ατμόπλοιο. Κατά το Δεύτερο Παγκόσμιο Πόλεμο μετέβη στην Αμερική,
όπου συνέχισε την εφοπλιστική του δραστηριότητα.
Στη διάρκεια του πολέμου απώλεσε το πλοίο ΕΛΙΖΑ.

The owner **Antonios G. Pappadakis** (1900-1981).
One of the outstanding contemporary Greek shipowners.
Son of the Kassian captain **Georgios Pappadakis**, who lost
his life in a tragic accident in Egypt, in 1906.
After the Great War, Antonios Pappadakis lived in Romania and worked with
his brother-in-law **Georgios M. Culucundis**. In 1928 he acquired
his first steamer. During World War II, he operated in the U.S.A.
He lost the steamer ELISE, during the war.

Ο Αντώνης Γ. Παππαδάκης, η γυναίκα του Βέργω
και οι υιοί του Γιώργος (πάνω) και Νίκος.

Antonios G. Pappadakis, his wife Vergo
and his sons Georgios (top) and Nicos.

Ο πλοιοκτήτης, πλοίαρχος **Ιωάννης Γ. Π. Λιβανός** (1897-1972), από τα Καρδάμυλα της Χίου. Σε νεώτατη ηλικία εξελίχθηκε σε εμποροπλοίαρχο. Στη διάρκεια του μεσοπολέμου συμμετείχε σε συμπλοιοκτησίες, ενώ αργότερα απέκτησε δικά του σκάφη. Κατά τη διάρκεια του Δευτέρου Παγκοσμίου Πολέμου απώλεσε το ατμόπλοιο ΑΝΝΙΤΣΑ.

The owner, captain **John G. P. Livanos** (1897-1972), from Kardamyla, Chios. He became a Master Mariner at a young age. In the interwar period he was co-owner of various ships. During World War II, he lost his steamer ANNITSA.

FOTOFLITE, ASHFORD, KENT, UK

120

Ναυπηγήθηκε το 1943 από την Permanente Metals Corporation, Yard No 2.

Αρχικό όνομα **LUTHER BURBANK**.

Παραδόθηκε στον Έλληνα πλοιοκτήτη του, **Ιωάννη Γ. Π. Λιβανό**,

στις **31 Ιανουαρίου 1947** και νηολογήθηκε στη Χίο.

Πλοίαρχος ανέλαβε ο **Γεώργιος Κεφάλας** και Α' Μηχανικός ο **Γεώργιος Κουτρούλης**.

Στις 15 Νοεμβρίου 1955 προσάραξε στο Κουνσάν της Κορέας καθώς έπλεε από την Βαλτιμόρη στο Ιντσόν.

Στις 21 Νοεμβρίου κόπηκε στα δύο και θεωρήθηκε Τεκμαρτή Ολική Απώλεια.

Το 1956 πουλήθηκε στην εταιρία Far Eastern Marine Transport Co. Ltd.

Τα δύο μέρη ανελκύσθηκαν και ρυμουλκήθηκαν στο Πουσάν

και ακολούθως στο Σιμονοσέκι, της Ιαπωνίας. Μετονομάστηκε **SILLA**.

Το 1957 ρυμουλκήθηκε στο Τόκυο όπου επιμηκύνθηκε.

Διαλύθηκε το Σεπτέμβριο του 1972 στο Μασάν της Νότιας Κορέας.

Built in 1943 by Permanente Metals Corporation, Yard No 2.

Original name **LUTHER BURBANK**.

Delivered to her Greek owner, **Ioannis G. P. Livanos**,

on **31st January, 1947** and registered at Chios.

Her Master was **Georgios Kefalas** and Chief Engineer **Georgios Koutroulis**.

On 15th November, 1955 whilst on a passage from Baltimore to Inchon, she grounded at Kunsan, Korea.

On 21st November she broke in two and was declared a Constructive Total Loss.

In 1956 she was sold to Far Eastern Marine Transport Co. Ltd.

The two parts were refloated and towed to Pusan and then to Shimonoseki, Japan. Renamed **SILLA**.

In 1957 she was towed to Tokyo where she was lenghtened.

She was scrapped in September, 1972 at Masan, South Korea.

Ο Πλοίαρχος,
Γιώργος Κεφάλας,
με αξιωματικούς
και μέλη του πληρώματος.

Captain
Georgios Kefalas,
with officers
and members
of the crew.

121

Ναυπηγήθηκε το 1944 από την Todd Houston Shipbuilding Corporation.
Αρχικό όνομα **JOSE G. BENITEZ**.
Παραδόθηκε στον Έλληνα πλοιοκτήτη του, **Παναγιώτη Σ. Κουμάνταρο**,
στις **31 Ιανουαρίου 1947** και νηολογήθηκε στον Πειραιά.
Πλοίαρχος ανέλαβε ο **Λουκάς Χατζηαντωνίου**
και Α' Μηχανικός ο **Ευάγγελος Βάλλας**.
Το 1965 πουλήθηκε στην Progress Navigation Ltd.
(Carras Maritime Corporation, New York) και μετονομάστηκε **ΦΙΛΙΑ**.
Στις 2 Ιανουαρίου 1967, ενώ εκτελούσε το ταξίδι Τεγκάλ/ Ρότερνταμ, συγκρούσθηκε με το πλοίο
ΤΑΥGA στην Ερυθρά Θάλασσα.
Προσάραξε δύο μίλια δυτικά της Μόκα,
εγκαταλείφθηκε και θεωρήθηκε Τεκμαρτή Ολική Απώλεια.

Built in 1944 by Todd Houston Shipbuilding Corporation.
Original name **JOSE G. BENITEZ**.
Delivered to her Greek owner, **Panagiotis S. Coumantaros**,
on **31st January, 1947** and registered at Piraeus.
Her Master was **Loucas Hadjiantoniou** and Chief Engineer **Evangelos Vallas**.
In 1965 she was sold to Progress Navigation Ltd.
(Carras Maritime Corporation, New York) and renamed **FILIA**.
On 2nd January, 1967 whilst on a passage from Tegal to Rotterdam, she collided with the ship
TAYGA in the Red Sea.
She grounded two miles west of Mokha,
was abandoned and declared a Constructive Total Loss.

FOTOFLITE, ASHFORD, KENT, UK

A. DUNCAN, GRAVESEND

Ο πλοιοκτήτης **Παναγιώτης Σταύρου Κουμάνταρος** (1882-1971),
από την Σπάρτη. Σπούδασε Νομικά και υπήρξε ένας
από τους ιδρυτές της αλευροβιομηχανίας ΕΥΡΩΤΑΣ.
Από τις αρχές της δεκαετίας του 1930 ασχολήθηκε και με τη ναυτιλία.
Στη διάρκεια του Δευτέρου Παγκοσμίου Πολέμου,
η οικογένεια Σταύρου Κουμάνταρου
απώλεσε το ατμόπλοιο ΚΥΡΙΑΚΗ.

Shipowner **Panagiotis S. Coumantaros** (1882-1971), from Sparta.
He read Law and was one of the co-founders
of the flour mill industry EVROTAS.
He was involved in shipping from the early thirties.
During World War II, the S. Coumantaros family
lost the steamer KYRIAKI.

Ναυπηγήθηκε το 1943 από την Permanente Metals Corporation, Yard No 2. Αρχικό όνομα **BENJAMIN BONNEVILLE**.
Παραδόθηκε στους Έλληνες πλοιοκτήτες του, **Εταιρία Ωκεανοπόρος (Υιοί Νικολάου Ι. Πατέρα)**,
στις **3 Φεβρουαρίου 1947** και νηολογήθηκε στη Χίο.
Πλοίαρχος ανέλαβε ο εκ των πλοιοκτητών **Στέφανος Πατέρας** και Α' Μηχανικός ο **Νικόλαος Τσεβδός**.
Το 1953 μετονομάστηκε **ΕΥΑΓΓΕΛΙΣΜΟΣ**.
Το 1966 πουλήθηκε στην Adelfotis Shipping Corporation και μετονομάστηκε **ΜΑΝΑ ΔΕΣΠΟΙΝΑ**.
Διαλύθηκε το 1968 στη Σαγκάη.

Built in 1943 by Permanente Metals Corporation, Yard No 2.
Original name **BENJAMIN BONNEVILLE**.
Delivered to her Greek owners, **Okeanoporos Shipping Co., (Nicolaos J. Pateras Sons)**,
on **3rd February, 1947** and registered at Chios.
Her Master was **Stefanos Pateras,** one of her owners and Chief Engineer **Nicolaos Tsevdos**.
In 1953 she was renamed **EVANGELISMOS**.
In 1966 she was sold to Adelfotis Shipping Corporation and renamed **MANNA DESPOINA**.
Scrapped in 1968 at Shanghai.

Πλοίαρχος Ιωάννης Νικολάου Πατέρας (1886-1967)
Captain Ioannis N. Pateras (1886-1967)

Πλοίαρχος Στέφανος Νικολάου Πατέρας (1898-1978)
Captain Stefanos N. Pateras (1898-1978)

Κωνσταντίνος Νικολάου Πατέρας (1902-1975)
Constantinos N. Pateras (1902-1975)

Οι πλοιοκτήτες **Ιωάννης, Στέφανος** και **Κωνσταντίνος Ν. Πατέρας**, υπήρξαν ιδρυτές
του γραφείου N. J. Pateras Ltd., στο Λονδίνο. Από τις παλαιές οικογένειες των Οινουσσών, με
σημαντική εφοπλιστική δραστηριότητα τα χρόνια του μεσοπολέμου.
Υιοί του πλοίαρχου και εφοπλιστή **Νικολάου Ι. Πατέρα-Ορφανού** (1864-1934), ο οποίος απεβίωσε
το 1934, σε ηλικία 70 ετών, ενώ πλοιάρχευε το ατμόπλοιο ΜΑΟΥΝΤ ΚΥΛΛΗΝΗ.

The owners **Ioannis, Stefanos** and **Constantinos N. Pateras**, were the founders
of the N. J. Pateras Ltd. office, in London. Members of a traditional shipping family,
from the island of Oinoussai. Sons of Master Mariner and shipowner **Nicolaos J. Pateras**
(1864-1934), who died on board the steamer MOUNT KYLLINI, while he was serving as Master.

COLLECTION OF THOMAS B. ELLSWORTH, JR.

FOTOFLITE, ASHFORD, KENT, UK

Ναυπηγήθηκε το 1944 στα Permanente Metals Corporation, Yard No 2.
Αρχικό όνομα **FRANCISCO MORAZAN**.
Παραδόθηκε στους Έλληνες πλοιοκτήτες του, **Υιούς Πέτρου Ι. Γουλανδρή**,
στις **3 Φεβρουαρίου 1947** και νηολογήθηκε στην Ανδρο.
Πλοίαρχος ανέλαβε ο **Πέτρος Γονέος**
και Α' Μηχανικός ο **Γεώργιος Βασταρδής**.
Το 1952 πουλήθηκε στην εταιρία Sapphire Cia. Naviera S.A.
(Harry Hadjipateras Bros Ltd., London)
και μετονομάστηκε **ΧΑΡΑΛΑΜΠΟΣ ΧΑΤΖΗΠΑΤΕΡΑΣ**.
Το 1963 μετονομάστηκε **ΑΙΓΑΙΟΝ**.
Διαλύθηκε τον Απρίλιο του 1967 στη Σανγκάη.

Built in 1944 by Permanente Metals Corporation, Yard No 2.
Original name **FRANCISCO MORAZAN**.
Delivered to her Greek owners, **Petros J. Goulandris Sons**,
on **3rd February, 1947** and registered at Andros.
Her Master was **Petros Goneos**
and Chief Engineer **Georgios Vastardis**.
In 1952 she was sold to Sapphire Cia. Naviera S.A.
(Harry Hadjipateras Bros Ltd., London)
and renamed **HARALAMPOS HADJIPATERAS**.
In 1963 she was renamed **AEGAION**.
In April, 1967 she was scrapped at Shanghai.

Οι πλοιοκτήτες **Υιοί Πέτρου Ι. Γουλανδρή**, από την Ανδρο, δημιουργοί ενός από τους μεγαλύτερους ελληνικούς εφοπλιστικούς ομίλους.
Από αριστερά οι **Βασίλειος Π. Γουλανδρής** (1913-1994), **Γεώργιος Π. Γουλανδρής** (1908-1974),
Ιωάννης Π. Γουλανδρής (1907-1950), **Κωνσταντίνος Π. Γουλανδρής** (1916-1978)
και **Νικόλαος Π. Γουλανδρής** (1913-1983), με τη μητέρα τους **Χρυσή Π. Γουλανδρή** και την αδελφή τους **Μαριόγκα**.
Πριν από το Δεύτερο Παγκόσμιο Πόλεμο οι Υιοί Πέτρου Ι. Γουλανδρή
δραστηριοποιούντο από κοινού με τα υπόλοιπα μέλη της οικογένειας τού
Ιωάννη Π. Γουλανδρή, υπό την επωνυμία Αδελφοί Γουλανδρή.

The owners **Peter J. Goulandris Sons**, from Andros, founders of one of the biggest Greek shipowning groups.
From left, **Basil P. Goulandris** (1913-1994), **Georgios P. Goulandris** (1908-1974),
John P. Goulandris (1907-1950), **Constantinos P. Goulandris** (1916-1978) and **Nicolaos P. Goulandris** (1913-1983),
with their mother **Chryssi P. Goulandris** and their sister **Marionga**.
Prior to World War II, Peter J. Goulandris Sons were operating jointly with the other members of the
John P. Goulandris family, under the firm Goulandris Bros.

Ο Δόκιμος Πλοίαρχος Λευτέρης Πολέμης (αριστερά),
Baton Rouge, 1957.

Cadet Officer, Lefteris Polemis (left),
Baton Rouge, 1957.

Στο κατάστρωμα του ΕΥΑΝΘΙΑ. Διακρίνονται όρθιοι,
στο κέντρο, ο Λευτέρης Πολέμης και άκρο δεξιά ο
Λεωνίδας Καλλιβρούσης.

On the deck of EVANTHIA. Pictured standing,
Lefteris Polemis, in the centre
and Leonidas Kallivroussis, extreme right.

Ναυπηγήθηκε το 1943 από την Todd Houston Shipbuilding Corporation. Αρχικό όνομα **GEORGE BELLOWS**.
Παραδόθηκε στους Έλληνες πλοιοκτήτες του, **Υιούς Πέτρου Ι. Γουλανδρή**,
στις **3 Φεβρουαρίου 1947** και νηολογήθηκε στην Άνδρο.
Πλοίαρχος ανέλαβε ο **Ιωάννης Παλαιοκρασσάς** και Α' Μηχανικός ο **Δημήτρης Καμπάνης**.
Το 1960 πουλήθηκε στην εταιρία Staco Cia. Maritima S.A. (D. Negroponte, New York) και μετονομάστηκε **EYH**.
Το 1965 πουλήθηκε στην παναμαϊκή εταιρία Deko Trading S.A. (Όμιλος Ωνάση),
μετονομάστηκε **ALBINO** και ύψωσε την λιβεριανή σημαία.
Διαλύθηκε το Δεκέμβριο του 1969 στο Μπιλμπάο.

Built in 1943 by Todd Houston Shipbuilding Corporation. Original name **GEORGE BELLOWS**.
Delivered to her Greek owners, **Petros J. Goulandris Sons**, on **3rd February, 1947** and registered at Andros.
Her Master was **Ioannis Paleokrassas** and Chief Engineer **Demetrios Cambanis**.
In 1960 she was sold to Staco Cia. Maritima S.A. (D. Negroponte, New York) and renamed **EVIE**.
In 1965 she was sold to the Panamanian company Deko Trading S.A. (Onassis Group),
renamed **ALBINO** and raised the Liberian flag.
She was scrapped in December, 1969 at Bilbao.

Ναυπηγήθηκε το 1943 από την Permanente Metals Corporation, Yard No 2.
Αρχικό όνομα **JOHN ROSS**.
Παραδόθηκε στους Έλληνες πλοιοκτήτες του, **Ελληνική Α.Ε.**
(Όμιλος Περικλή Γ. Καλλιμανόπουλου),
στις **4 Φεβρουαρίου 1947** και νηολογήθηκε στον Πειραιά.
Πλοίαρχος ανέλαβε ο **Λουκάς Γιακουμίδης**
και Α' Μηχανικός ο **Γεώργιος Κρανιός**.
Το 1970 πουλήθηκε στην εταιρία Pollux Shipping Ltd.,
μετονομάστηκε **ΑΓΙΟΣ ΕΡΜΟΛΑΟΣ** και ύψωσε την κυπριακή σημαία.
Τον Οκτώβριο του 1973 διαλύθηκε στο Καστελλόν, της Ισπανίας.

Built in 1943 by Permanente Metals Corporation, Yard No 2.
Original name **JOHN ROSS**.
Delivered to her Greek owners, **Hellenic Lines S.A.**
(Pericles G. Callimanopulos Group),
on **4th February, 1947** and registered at Piraeus.
Her Master was **Loucas Giakoumidis**
and Chief Engineer **Georgios Kranios**.
In 1970 she was sold to Pollux Shipping Ltd.,
renamed **AGHIOS ERMOLAOS** and raised the Cypriot flag.
In October, 1973 she was scrapped at Castellon, Spain.

A. DUNCAN, GRAVESEND

AMBROSE GREENWAY

Ο Περικλής Γ. Καλλιμανόπουλος (δεξιά) με τον διευθυντή της
ΕΛΛΗΝΙΚΗΣ Α.Ε. Ισαάκ Σισμάνογλου.

Pericles G. Callimanopulos (right) and Isaac Sismanoglou,
director of HELLENIC LINES S.A.

A. DUNCAN, GRAVESEND

Ο πλοιοκτήτης, πλοίαρχος **Ιωάννης Κ. Χατζηπατέρας** (1888-1979),
υιός του πλοιάρχου και εφοπλιστή **Κωνσταντίνου Ι. Χατζηπατέρα** (1856-1943),
από τις σημαντικές προσωπικότητες της αιγνουσιώτικης ναυτιλίας.
Στην πλοιοκτησία του Κ. ΧΑΤΖΗΠΑΤΕΡΑΣ, συμμετείχε και ο νεώτερος αδελφός
του, πλοίαρχος **Αδαμάντιος Κ. Χατζηπατέρας** (1892-1976).
Κατά τη διάρκεια του Δευτέρου Παγκοσμίου Πολέμου
η οικογένεια Κ. Χατζηπατέρα απώλεσε τα ατμόπλοια
ΑΓΙΟΣ ΝΙΚΟΛΑΟΣ και ΚΩΝΣΤΑΝΤΙΝΟΣ ΧΑΤΖΗΠΑΤΕΡΑΣ.

The owner, captain **Ioannis K. Hadjipateras** (1888-1979),
son of Master Mariner **Konstantinos J. Hadjipateras** (1856-1943),
outstanding personality of Oinoussian shipping.
Captain **Adamantios K. Hadjipateras** (1892-1976), younger brother of Ioannis,
was a co-owner of the vessel.
During World War II, the K. Hadjipateras family lost the steamers
AGHIOS NICOLAOS and KONSTANTINOS HADJIPATERAS.

Ο Πλοίαρχος, Ηλίας Χαλκιάς (δεξιά),
από τις Οινούσσες.

Captain Elias Chalkias (left),
from Oinoussai.

Ιωάννης Κ. Χατζηπατέρας
Ioannis K. Hadjipateras

Ναυπηγήθηκε το 1943 από την Todd Houston Shipbuilding Corporation.
Αρχικό όνομα **GEORGE C. CHILDRESS**.
Παραδόθηκε στους Έλληνες πλοιοκτήτες του, **Ιωάννη** και **Αδαμάντιο Κωνσταντίνου Χατζηπατέρα**,
στις **5 Φεβουαρίου 1947** και νηολογήθηκε στον Πειραιά.
Πλοίαρχος ανέλαβε ο **Ηλίας Χαλκιάς**
και Α' Μηχανικός ο **Κωνσταντίνος Θεολόγος**.
Στις 27 Ιουλίου 1967,
ενώ έπλεε από την Καλκούτα στο Ραγκούν, προσάραξε σε ύφαλο κοντά στη νήσο Κορόντζε, 35 μίλια
βόρεια του Παγκόντα Πόιντ, έξω από το Μπασέιν της Μπούρμα και βυθίστηκε.

Built in 1943 by Todd Houston Shipbuilding Corporation.
Original name **GEORGE C. CHILDRESS**.
Delivered to her Greek owners, **Ioannis** and **Adamantios Constantinos Hadjipateras**,
on **5th February, 1947** and registered at Piraeus.
Her Master was **Elias Chalkias**
and Chief Engineer **Constantinos Theologos**.
On 27th July, 1967
whilst on a passage from Calcutta to Rangoon, she grounded on a reef near Koronje Island,
35 miles north of Pagoda Point, off Bassein, Burma and sank.

Ναυπηγήθηκε το 1944
από την Delta Shipbuilding Company.
Αρχικό όνομα **HARRY TOULMIN**.
Παραδόθηκε στον Έλληνα πλοιοκτήτη του, **Θωμά Ν. Επιφανιάδη**,
στις **7 Φεβρουαρίου 1947**
και νηολογήθηκε στον Βόλο.
Πλοίαρχος ανέλαβε ο **Εμμανουήλ Σκαπινάκης**
και Α' Μηχανικός ο **Αθανάσιος Παπαδήμος**.
Διαλύθηκε τον Οκτώβριο του 1967 στη Σαγκάη.

Built in 1944
by Delta Shipbuilding Company.
Original name **HARRY TOULMIN**.
Delivered to her Greek owner, **Thomas N. Epiphaniades**,
on **7th February, 1947**
and registered at Volos.
Her Master was **Emmanouel Skapinakis**
and Chief Engineer **Athanassios Papademos**.
In October, 1967 she was scrapped at Shanghai.

A. DUNCAN, GRAVESEND

Ο ανθυποπλοίαρχος
Κώστας Ηλιόπουλος
(αριστερά)
επί του ΚΕΧΡΕΑ,
με τον συνάδελφό του
Ιωάννη Μπία,
το Μάϊο του 1950,
στο Κόμπε της Ιαπωνίας.

Second Officer
Costas Iliopoulos (left)
with Second Officer
Ioannis Bias, on board the
KEHREA.
May 1950,
at Kobe, Japan.

Ο δόκιμος πλοίαρχος Δημήτρης Παπαγιαννάκης
στο τιμόνι του πλοίου, το 1952.
Στην κάτω φωτογραφία διακρίνεται ο ίδιος (αριστερά)
με τον υποπλοίαρχο Ιωάννη Μπουλντούμη (δεξιά).

Cadet officer Demetrios Papagiannakis in the wheelhouse.
In photo below, he is pictured on the left.
Chief officer Ioannis Bouldoumis, is on the right.
Both pictures were taken in 1952.

FOTOFLITE, ASHFORD, KENT, UK

Ναυπηγήθηκε το 1944 από την California Shipbuilding Corporation.
Αρχικό όνομα **I. N. VAN NUYS**.
Παραδόθηκε στον Έλληνα πλοιοκτήτη του, **Στρατή Γ. Ανδρεάδη**,
στις **7 Φεβρουαρίου 1947** και νηολογήθηκε στη Χίο.
Πλοίαρχος ανέλαβε ο **Ευστράτιος Παναγόπουλος**
και Α' Μηχανικός ο **Γεώργιος Γιαννακόπουλος**.
Διαλύθηκε στη Γιουγκοσλαβία τον Αύγουστο του 1985.

A. DUNCAN, GRAVESEND

Built in 1944 by California Shipbuilding Corporation.
Original name **I. N. VAN NUYS**.
Delivered to her Greek owner, **Stratis G. Andreadis**,
on **7th February, 1947** and registered at Chios.
Her Master was **Efstratios Panagopoulos**
and Chief Engineer **Georgios Giannakopoulos**.
She was scrapped in Yugoslavia, in August, 1985.

Ναυπηγήθηκε το 1943 από την Oregon Ship Building Corporation.
Αρχικό όνομα **WILLIAM D. HOARD**.
Παραδόθηκε στον Έλληνα πλοιοκτήτη του, **Παναγή Δ. Μαρκεσσίνη**,
στις **7 Φεβρουαρίου 1947** και νηολογήθηκε στον Πειραιά.
Πλοίαρχος ανέλαβε ο **Ευάγγελος Γιολάκης** και Α' Μηχανικός ο **Ιωάννης Καλκουλές**.
Το 1956 πουλήθηκε στην εταιρία D. P. Dracos και μετονομάστηκε **ΠΑΝΑΓΙΩΤΗΣ Δ.**
Το 1963 πουλήθηκε στην Crisanthemon Cia. Naviera S.A. (Δημήτρης Χατζαντωνάκης)
και μετονομάστηκε **KATINA T. X.**
Τον Μάρτιο του 1968 διαλύθηκε στο Καοσιούνγκ.

Built in 1943 by Oregon Ship Building Corporation.
Original name **WILLIAM D. HOARD**.
Delivered to her Greek owner, **Panagis D. Markessinis**,
on **7th February, 1947** and registered at Piraeus.
Her Master was **Evangelos Yolakis** and Chief Engineer **Ioannis Kalkoules**.
In 1956 she was sold to D. P. Dracos and renamed **PANAGIOTIS D.**
In 1963 she was sold to Crisanthemon Cia. Naviera S.A. (Demetrios Hadjantonakis)
and renamed **KATINA T. H**.
She was scrapped in March, 1968 at Kaohsiung.

Ο πλοιοκτήτης **Παναγής Δημητρίου Μαρκεσσίνης**, από την Κεφαλλονιά. Γεννήθηκε στην Ρουμανία και κατά το διάστημα του μεσοπολέμου εγκαταστάθηκε στον Πειραιά και εργάστηκε στα ναυτιλιακά γραφεία του Ιωάννη Χανδρή και του Νικόλα Λιβανού. Το 1929 απέκτησε το πρώτο του ατμόπλοιο. Κατά τη διάρκεια του Δευτέρου Παγκοσμίου Πολέμου μετέβη στην Αμερική απ' όπου συνέχισε τη ναυτιλιακή του δραστηριότητα.

Shipowner
Panagis D. Markessinis,
from Cephalonia.
He was born in Romania.
In the interwar years he
worked at the shipping
offices of John Chandris and
Nicolas Livanos, in Piraeus.
He acquired his first
steamship, in 1929.
Since the early days of
World War II,
he lived in the U.S.A.

Στο κατάστρωμα του ΝΙΚΟΛΑΣ ΚΑΪΡΗΣ,
ο Πλοίαρχος, Ευτύχιος Γκούμας,
οι αξιωματικοί και το πλήρωμα.

On the deck of NICOLAS KAIRIS,
the Master, Eftychios Goumas,
officers and crew.

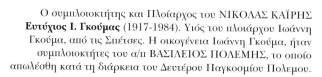

Ο συμπλοιοκτήτης και Πλοίαρχος του ΝΙΚΟΛΑΣ ΚΑΪΡΗΣ
Ευτύχιος Ι. Γκούμας (1917-1984). Υιός του πλοιάρχου Ιωάννη
Γκούμα, από τις Σπέτσες. Η οικογένεια Ιωάννη Γκούμα, ήταν
συμπλοιοκτήτες του α/π ΒΑΣΙΛΕΙΟΣ ΠΟΛΕΜΗΣ, το οποίο
απωλέσθη κατά τη διάρκεια του Δευτέρου Παγκοσμίου Πολεμου.

Eftychios J. Goumas (1917-1984), co-owner and Master of the
NICOLAS KAIRIS. Son of Master Mariner Ioannis Goumas,
from Spetsai. The J. Goumas family, were co-owners of the
s/s VASSILIOS POLEMIS, which was lost during World War II.

Ο πλοιοκτήτης **Ιωάννης Νικολάου Καΐρης** (1912-1989), από την
Ανδρο. Σπούδασε Οικονομικές Επιστήμες στην Ελβετία και
εργάστηκε αρχικά στον τομέα των ασφαλειών προτού
δραστηριοποιηθεί στο ναυτιλιακό χώρο.

The owner **Ioannis N. Kairis** (1912-1989), from Andros. He read
Economics and was active in the insurance market prior to his
involment in the shipping business.

Ναυπηγήθηκε το 1943 από την Todd Houston Shipbuilding Corporation. Αρχικό όνομα **R. M. WILLIAMSON**.
Παραδόθηκε στους Έλληνες πλοιοκτήτες του, **Ιωάννη Ν. Καΐρη** και **Ευτύχιο Ι. Γκούμα**,
στις **10 Φεβρουαρίου 1947** και νηολογήθηκε στην Άνδρο.
Πλοίαρχος ανέλαβε ο εκ των πλοιοκτητών, **Ευτύχιος Γκούμας** και Α' Μηχανικός ο **Κωνσταντίνος Μηλαίος**.
Στις 5 Μαΐου 1959, ενώ εκτελούσε το ταξίδι Χάιφα/Τόκυο φορτωμένο με παλιοσίδερα,
προσάραξε τέσσερα μίλια βορειοανατολικά του Κουτσίνο Σίμα. Κόπηκε στα δύο και βυθίστηκε.

Built in 1943 by Todd Houston Shipbuilding Corporation. Original name **R. M. WILLIAMSON**.
Delivered to her Greek owners, **Ioannis N. Kairis** and **Eftychios J. Goumas**,
on **10th February, 1947** and registered at Andros.
Her Master was **Eftychios Goumas**, one of her owners and Chief Engineer **Constantinos Mileos**.
On 5th May, 1959 whilst on a passage from Haifa to Tokyo, loaded with scrap,
she went aground four miles north east of Kuchino Shima. She broke in two and sank.

Στο κατάστρωμα του ΝΙΚΟΛΑΣ ΚΑΪΡΗΣ.
Δεξιά διακρίνεται ο δόκιμος πλοίαρχος,
Γιάννης Γκούμας, σήμερα πρόεδρος της
Ενώσεως Ελλήνων Εφοπλιστών.

On the deck of NICOLAS KAIRIS.
Pictured on the right is cadet officer John Goumas,
president of the Union of Greek Shipowners today.

Το Λίμπερτυ R. M. WILLIAMSON στη διάρκεια του πολέμου.

The Liberty R. M. WILLIAMSON, during the war.

Ο δόκιμος πλοίαρχος Γιάννης Γκ. Γκούμας,
στη γέφυρα του ΝΙΚΟΛΑΣ ΚΑΪΡΗΣ.

Cadet officer John G. Goumas,
on the bridge of NICOLAS KAIRIS.

Οι υιοί του πλοιοκτήτη Ιωάννη Καΐρη, Νικόλαος (δεξιά) και
Αλέξανδρος, στο κατάστρωμα του πλοίου.
Αριστερά διακρίνεται ο δόκιμος πλοίαρχος Γιάννης Γκούμας.

The owner's young sons, Nicolaos Kairis (right)
and Alexandros Kairis, pictured
on the deck of the ship, with cadet officer John Goumas.

Ο Πλοίαρχος, Ευτύχιος Γκούμας,
με τον Μηχανικό Παναγιώτη Μαρματσούρη.

Captain Eftychios Goumas
and Engineer Panaghiotis Marmatsouris.

Ναυπηγήθηκε το 1943 από την Southeastern Shipbuilding Corporation.

Αρχικό όνομα **DUDLEY M. HUGHES**.

Παραδόθηκε στον Έλληνα πλοιοκτήτη του, **Σταύρο Γ. Λιβανό**, στις **11 Φεβρουαρίου 1947** και νηολογήθηκε στον Πειραιά.

Πλοίαρχος ανέλαβε ο **Ιωάννης Καράβολος** και Α' Μηχανικός ο **Παναγιώτης Πιόκος**.

Το 1962 πουλήθηκε στην εταιρία Atlantska Plovidba και μετονομάστηκε **CAVTAT**, υψώνοντας την σημαία της Γιουγκοσλαβίας.

Το 1965 πουλήθηκε στην Lebanon Shipping Lines

και μετονομάστηκε **SHEIK BOUTROS**, υψώνοντας την σημαία του Λιβάνου.

Τον Μάϊο του 1969 διαλύθηκε στη Γουαμπόα.

Built in 1943 by Southeastern Shipbuilding Corporation.

Original name **DUDLEY M. HUGHES**.

Delivered to her Greek owner, **Stavros G. Livanos**, on **11th February, 1947** and registered at Piraeus.

Her Master was **Ioannis Karavolos** and Chief Engineer **Panaghiotis Piokos**.

In 1962 she was sold to Atlantska Plovidba, renamed **CAVTAT** and raised the flag of Yugoslavia.

In 1965 she was sold to Lebanon Shipping Lines,

renamed **SHEIK BOUTROS** and raised the flag of Lebanon.

She was scrapped in May, 1969 at Whampoa.

Ο Πλοίαρχος Ιωάννης Καράβολος

Captain Ioannis Karavolos

Ο Α' Μηχανικός
Ιωάννης Λουδάρος
(αριστερά),
στο κατάστρωμα
του ΑΛΙΑΚΜΩΝ,
το 1947.

Chief Engineer
Ioannis Loudaros
(left),
on the deck
of the
ALIAKMON,
in 1947.

145

Ο Πλοίαρχος,
Ιωάννης Γλύκας
(γεν. 1908),
από το
Βροντάδο
της Χίου.

Captain
Ioannis Glykas
(b. 1908),
from Vrontados,
Chios.

Ο Αγαπητός Μαυρέλος, ανθυποπλοίαρχος (αριστερά), ο
Παναγιώτης Τσάκος, δόκιμος πλοίαρχος, σήμερα εφοπλιστής και
κάτω ο Ευθύμιος Ζαννίκος, παραμάγειρος.
Στην πρύμνη του ΚΥΜΑ, αρχές δεκαετίας του 1950.

Second officer Agapitos Mavrelos (left), cadet officer Panaghiotis
Tsakos, today a shipowner and below, Efthymios Zannikos,
assistant cook, in the early fifties, on board the KYMA.

A. DUNCAN, GRAVESEND

146

Ο δόκιμος πλοίαρχος Παναγιώτης Τσάκος (πάνω)
και ο ανθυποπλοίαρχος Αγαπητός Μαυρέλλος.

Cadet officer Panaghiotis Tsakos (top photo)
and second officer Agapitos Mavrellos.

Ναυπηγήθηκε το 1943 από την Todd Houston
Shipbuilding Corporation.
Αρχικό όνομα **ERASTUS SMITH**.
Παραδόθηκε στον Ελληνα πλοιοκτήτη του, **Νικόλα Γ. Λιβανό**,
στις **11 Φεβρουαρίου 1947**
και νηολογήθηκε στον Πειραιά.
Πλοίαρχος ανέλαβε ο **Ιωάννης Γλύκας**
και Α' Μηχανικός ο **Ιωάννης Σύρμας**.
Το 1960 πουλήθηκε στην Orient Shipping Corporation και
μετονομάστηκε **ΡΟΔΟΣ**,
υψώνοντας τη σημαία του Λιβάνου.
Τον Σεπτέμβριο του 1967 διαλύθηκε στη Σαγκάη.

Built in 1943 by Todd Houston
Shipbuilding Corporation.
Original name **ERASTUS SMITH**.
Delivered to her Greek owner, **Nicolaos G. Livanos**,
on **February 11th, 1947**
and registered at Piraeus.
Her Master was **Ioannis Glykas**
and Chief Engineer **Ioannis Syrmas**.
In 1960 she was sold to Orient Shipping
Corporation, renamed **RODOS**,
and raised the flag of Lebanon.
In September, 1967 she was scrapped at Shanghai.

LAURENCE DUNN COLLECTION

147

Ναυπηγήθηκε το 1943 από την Permanente Metals Corporation, Yard No 2.
Αρχικό όνομα **J. MAURICE THOMPSON**. Παραδόθηκε στους Έλληνες πλοιοκτήτες του, **Υιούς Βασιλείου Σκαρβέλη**,
στις **11 Φεβρουαρίου 1947** και νηολογήθηκε στον Πειραιά.
Πλοίαρχος ανέλαβε ο εκ των πλοιοκτητών **Μιχαήλ Σκαρβέλης** και Α' Μηχανικός ο **Χαράλαμπος Κουλακίδης**.
Το 1962 πουλήθηκε στην Afthonia Cia. Naviera S.A. (Όμιλος Σκαρβέλη) και μετονομάστηκε **ΕΥΞΕΙΝΟΣ**.
Στις 27 Φεβρουαρίου 1966, ενώ έπλεε 360 μίλια νοτιοδυτικά από τις Αζόρες,
εκτελώντας το ταξίδι Γκότσεκ/Βαλτιμόρη, παρουσίασε διαρροές, εγκαταλείφθηκε και βυθίστηκε.

Built in 1943 by Permanente Metals Corporation, Yard No 2.
Original name **J. MAURICE THOMPSON**. Delivered to her Greek owners, **Vassilios Skarvelis Sons**,
on **11th February, 1947** and registered at Piraeus.
Her Master was **Michael Skarvelis**, one of her owners and Chief Engineer **Charalampos Koulakidis**.
In 1962 she was sold to Afthonia Cia. Naviera S.A. (Skarvelis Group) and renamed **EUXEINOS**.
On 27th February, 1966 whilst on a passage from Gocek to Baltimore,
she developed leaks 360 miles south west of the Azores, was abandoned and sank.

Οι αδελφοί **Κωστής, Ηλίας, Γεώργιος, Μιχαήλ** και **Νικόλαος Σκαρβέλης**,
ήταν υιοί του πλοιάρχου **Βασιλείου Σκαρβέλη**, από τα Καρδάμυλα της Χίου.
Κατά τη διάρκεια του μεσοπολέμου, απέκτησαν τα πρώτα τους ατμόπλοια,
σε συνεργασία με τον Όμιλο Κουλουκουντή. Στο Δεύτερο Παγκόσμιο Πόλεμο,
απώλεσαν τα πλοία, ΜΑΟΥΝΤ ΑΘΩΣ και ΜΑΟΥΝΤ ΙΘΩΜΗ.

Costis, Elias, Georgios, Michael and **Nicolaos Skarvelis**,
were sons of Master Mariner **Vassilios Skarvelis**, from Kardamyla, Chios.
They acquired their first steamships during the interwar years
in partnership with the Kulukundis Group.
In World War II, they lost the vessels MOUNT ATHOS and MOUNT ITHOME.

Ο Πλοίαρχος, Μιχαήλ Β. Σκαρβέλης (1908-1975)
Captain Michael V. Skarvelis (1908-1975)

Ο πλοίαρχος Γεώργιος Β. Σκαρβέλης (1895-1979)
Captain Georgios V. Skarvelis (1895-1979)

Ο πλοίαρχος Γεώργιος Β. Σκαρβέλης,
αξιωματικοί και το πλήρωμα του
ΜΑΟΥΝΤ ΑΘΩΣ.

Captain Georgios V. Skarvelis,
with officers and crew
of the MOUNT ATHOS.

FOTOFLITE, ASHFORD, KENT, UK

Ναυπηγήθηκε το 1944 από την J. A. Jones Construction Co, Wainwright Yard.
Αρχικό όνομα **JOHN M. BROOKE**.
Παραδόθηκε στον Έλληνα πλοιοκτήτη του, **Ιωάννη Σ. Κουμάνταρο**,
στις **11 Φεβρουαρίου 1947** και νηολογήθηκε στον Πειραιά.
Πλοίαρχος ανέλαβε ο **Κλέανδρος Τόσκος**
και Α' Μηχανικός ο **Ιωάννης Κοτρώνης**.
Το 1960 πουλήθηκε στην Maritime Company Spetsai S.A.
και μετονομάστηκε **ΣΠΕΤΣΑΙ**.
Τον Απρίλιο του 1968 διαλύθηκε στο Καοσιούνγκ.

Built in 1944 by J. A. Jones Construction Co, Wainwright Yard.
Original name **JOHN M. BROOKE**.
Delivered to her Greek owner, **Ioannis S. Coumantaros**,
on **11th February, 1947** and registered at Piraeus.
Her Master was **Kleandros Toskos**
and Chief Engineer **Ioannis Kotronis**.
In 1960 she was sold to Maritime Company Spetsai S.A.
and renamed **SPETSAI**.
She was scrapped in April, 1968 at Kaohsiung.

WELSH INDUSTRIAL & MARITIME MUSEUM

Ο πλοιοκτήτης **Ιωάννης Σταύρου Κουμαντάρος**
(1894-1981), από τη Σπάρτη.
Ασχολήθηκε αρχικά με την οικογενειακή επιχείρηση,
αλευροβιομηχανία ΕΥΡΩΤΑΣ
και από την δεκαετία του 1930
με τη ναυτιλία και το εμπόριο,
όπου διακρίθηκε ιδιαίτερα.

Shipowner **Ioannis S. Coumantaros**
(1894-1981), from Sparta.
He was initially involved in the family business,
the EVROTAS flour mill,
and from the thirties
he was involved in shipping
and trade with particular success.

Βασίλειος Ιωάννου
Γουλανδρής
(1886-1976)

Vassilios J.
Goulandris
(1886-1976)

Λεωνίδας Ιωάννου
Γουλανδρής
(1902-1952)

Leonidas J.
Goulandris
(1902-1952)

Νικόλαος Ιωάννου Γουλανδρής (1891-1957)

Nicolaos J. Goulandris (1891-1957)

Οι πλοιοκτήτες, πλοίαρχος **Βασίλειος Ι. Γουλανδρής**,
Νικόλαος Ι. Γουλανδρής και **Λεωνίδας Ι. Γουλανδρής**,
υιοί του πλοιάρχου και εφοπλιστή **Ιωάννου Π. Γουλανδρή**, γενάρχη της μεγάλης
ναυτικής οικογένειας της Άνδρου.
Μετά τον Πρώτο Παγκόσμιο Πόλεμο ίδρυσαν μαζί με τους αδελφούς τους **Πέτρο** και
Μιχαήλ την εταιρία Goulandris Bros Ltd., με γραφεία στο Λονδίνο και στον Πειραιά.
Η εταιρία ανέπτυξε μεγάλη δραστηριότητα
διαχειριζόμενη ιδιόκτητα σκάφη και πλοία άλλων εφοπλιστών, κυρίως ανδριωτών.
Το 1935, ο Βασίλειος Ι. Γουλανδρής
εξελέγη πρόεδρος της Ενώσεως Ελλήνων Εφοπλιστών.
Κατά τη διάρκεια του Δευτέρου Παγκοσμίου Πολέμου
ο Όμιλος των **Υιών Ιωάννου Γουλανδρή**
διαχειρίζετο δώδεκα ατμόπλοια από τα οποία απώλεσε τα
ΙΩΑΝΝΗΣ Π. ΓΟΥΛΑΝΔΡΗΣ, ΦΡΑΓΚΟΥΛΑ ΓΟΥΛΑΝΔΡΗ,
ΒΙΟΛΑΝΤΩ ΓΟΥΛΑΝΔΡΗ, ΜΟΣΧΑ Γ. ΓΟΥΛΑΝΔΡΗ,
ΚΩΝΣΤΑΝΤΙΝΟΣ ΛΟΥΛΟΥΔΗΣ, ΜΑΡΟΥΣΣΙΩ ΛΟΓΟΘΕΤΗ,
ΓΕΩΡΓΙΟΣ Ι. ΓΟΥΛΑΝΔΡΗΣ, ΕΥΑΝΘΙΑ, ΜΙΧΑΗΛ Ι. ΓΟΥΛΑΝΔΡΗΣ.

The owners, captain **Vassilios J. Goulandris**, **Nicolaos J. Goulandris**
and **Leonidas J. Goulandris**,
sons of Master Mariner and shipowner **Ioannis P. Goulandris**,
founder of the well-known shipping family, from Andros.
After the Great War, they and their brothers **Petros** and **Michael**,
established Goulandris Bros Ltd., with offices in London and in Piraeus.
Their London office acted as agent of many Andriot owners during the interwar years.
In 1935, Vassilios J. Goulandris was elected chairman of the Union of Greek
Shipowners. During World War II, the Goulandris family lost
the following nine ships from a fleet of twelve steamers:
IOANNIS P. GOULANDRIS, FRANGOULA GOULANDRIS,
VIOLANDO GOULANDRIS, MOSCHA G. GOULANDRIS,
CONSTANTINOS LOULOUDIS, MAROUSSIO LOGOTHETIS,
GEORGIOS J. GOULANDRIS, EVANTHIA, MICHAEL J. GOULANDRIS.

A. DUNCAN, GRAVESEND

IOANNIS P. GOULANDRIS

Ναυπηγήθηκε το 1944 από την Oregon Ship Building Corporation.
Αρχικό όνομα **ELWOOD MEAD**.
Παραδόθηκε στους Έλληνες πλοιοκτήτες του, **Αδελφούς Γουλανδρή**,
στις **12 Φεβρουαρίου 1947** και νηολογήθηκε στην Άνδρο.
Πλοίαρχος ανέλαβε ο **Αριστείδης Νέρης** και Α᾿ Μηχανικός ο **Μιχαήλ Ευσταθιάδης**.
Τον Νοέμβριο του 1968 διαλύθηκε στο Ιτοζάκι της Ιαπωνίας.

Built in 1944 by Oregon Ship Building Corporation.
Original name **ELWOOD MEAD**.
Delivered to her Greek owners, **Goulandris Bros**,
on **12th February, 1947** and registered at Andros.
Her Master was **Aristidis Neris** and Chief Engineer **Michael Efstathiadis**.
She was scrapped in November, 1968 at Itozaki, Japan.

Στο κατάστρωμα του πλοίου
ο πλοίαρχος Αντώνης Σύμπουρας
δεύτερος από δεξιά.

On the deck of
IOANNIS P. GOULANDRIS.
The Master Antonis Simbouras
is pictured second from right.

Ναυπηγήθηκε το 1943 από την Oregon Ship Building Corporation. Αρχικό όνομα **LOT WHITCOMB**.
Παραδόθηκε στον Έλληνα πλοιοκτήτη του, **Μιχαήλ Βασιλειάδη**, ο οποίος ανέλαβε Πλοίαρχος,
στις **12 Φεβρουαρίου 1947** και νηολογήθηκε στη Χίο. Α' Μηχανικός ανέλαβε ο **Γεώργιος Πουγγάρης**.
Το 1963 μετονομάστηκε **ΜΗΤΡΟΠΟΛΙΣ**. Το 1966 περιήλθε στην κυριότητα της Delmar Armadora S.A.
Στις 28 Οκτωβρίου 1966 και ενώ εκτελούσε το ταξίδι Χιούστον/Κορέα, κατέπλευσε στο Μαντζανίλλο του Μεξικού με διαρροές
εξαιτίας ρήγματος. Στις 21 Νοεμβρίου κατέπλευσε στο Πόρτλαντ, Ορεγκον για επισκευές. Κρατήθηκε στο λιμάνι γιά χρέη.
Το 1967 πουλήθηκε στην εταιρία Pacific Coast Shipping Co. και ύψωσε τη σημαία της Λιβερίας.
Τον Ιανουάριο του 1968 πουλήθηκε σε τοπική εταιρία διαλυτών, οι οποίοι το μεταπώλησαν σε διαλυτές της Ταϊβάν.
Έφτασε στο Καοσιούνγκ ρυμουλκούμενο τον Οκτώβριο του 1968, όπου διαλύθηκε.

Built in 1943 by Oregon Ship Building Corporation. Original name **LOT WHITCOMB**.
Delivered to her Greek owner, **Michael Vassiliades**, also her Master, on **12th February, 1947** and registered at Chios.
Her Chief Engineer was **Georgios Poungaris**. In 1963 she was renamed **MITROPOLIS**.
In 1966 she was sold to Delmar Armadora S.A. On 28th October, 1966 whilst on a passage from Houston to Korea, she
called at Manzanillo, Mexico because of leakage due to fractured hull plates.
On 21st November she sailed to Portland, Oregon for repairs but was detained in port for debts.
In 1967 she was sold to Pacific Coast Shipping Co. and raised the Liberian flag.
In January, 1968 she was sold to local shipbreakers, who resold her to Taiwanese shipbreakers.
She was towed to Kaohsiung in October, 1968, where she was scrapped.

Ο πλοιοκτήτης **Μιχαήλ (Μικές) Βασιλειάδης** (1888-1952), από τη Χίο,
παρέλαβε ως Πλοίαρχος το Λίμπερτυ Φ/Λ ΒΑΣΙΛΕΙΑΔΗΣ Ρ.Α.Φ.
Ο υιός του **Βασίλης Μ. Βασιλειάδης**, στη μνήμη του οποίου ονομάστηκε το πλοίο,
αποφοίτησε το 1939 από τη Σχολή Εμποροπλοιάρχων της Ύδρας, κατετάγη εθελοντής στη R.A.F.
και σκοτώθηκε το 1945 ενώ εκτελούσε διατεταγμένη υπηρεσία.

The owner, captain **Michael Vassiliades** (1888-1952), from Chios,
took over the Liberty F/L VASSILIADES R.A.F. His son **Vassilis M. Vassiliades**,
in whose memory the vessel was named, graduated from the Nautical School of Hydra in 1939,
then joined the R.A.F. and was killed in action in 1945.

Ο δόκιμος πλοίαρχος Μιχάλης Βελώνιας, το 1947.

Cadet officer Michael Velonias, in 1947.

Το Φ/Λ ΒΑΣΙΛΕΙΑΔΗΣ Ρ.Α.Φ. με τα χρώματα της ΕΛΛΗΝΙΚΗΣ Α.Ε.
κατά τη διάρκεια χρονοναύλωσης.

The F/L VASSILIADES R.A.F. on time charter
to HELLENIC LINES S.A.

FOTOFLITE, ASHFORD, KENT, UK

A. DUNCAN, GRAVESEND

Ο πλοίαρχος **Γεώργιος Γ. Καραβίας-Τσεμπέρης**,
από την Ιθάκη, δραστηριοποιήθηκε στη ναυτιλία με τη βοήθεια
των υιών του, πλοιάρχων **Γερασίμου Καραβία** (1898-1954),
Ανδρέα Καραβία (1900-1950) και **Κωνσταντίνου Καραβία** (1902-1969)
και απέκτησαν ιδιόκτητα ατμόπλοια στη διάρκεια του μεσοπολέμου.
Στην οικογενειακή επιχείρηση συμμετείχε αργότερα και ο νεώτερος
αδελφός τους **Νέστωρ Καραβίας** (1908-1983).

The owners of the PANAGHIA KATHARIOTISSA,
were Master Mariners, **Gerasimos Caravias** (1898-1954),
Andreas Caravias (1900-1950) and **Constantinos Caravias** (1902-1969),
sons of captain **Georgios G. Caravias,** from the island of Ithaca.
In the interwar years, they acquired their own steamers.
They were later joined in the family business by their
younger brother **Nestor Caravias** (1908-1983).

Πλοίαρχος Ανδρέας Γ. Καραβίας

Captain Andreas G. Caravias

PANAGHIA KATHARIOTISSA

Ναυπηγήθηκε το 1943 από την Oregon Ship Building Corporation. Αρχικό όνομα **ALBERT A. MICHELSON**.
Παραδόθηκε στους Έλληνες πλοιοκτήτες του, **Υιούς Γεωργίου Καραβία-Τσεμπέρη**,
στις **14 Φεβρουαρίου 1947** και νηολογήθηκε στην Ιθάκη.
Πλοίαρχος ανέλαβε ο **Γεράσιμος Μάντζαρης** και Α᾽ Μηχανικός ο **Χαράλαμπος Λασκαρίδης**.
Το 1949 μετονομάστηκε **ΠΑΝΑΓΙΑ Κ.**
Στις 9 Δεκεμβρίου 1966, ενώ έπλεε στον Ειρηνικό, παρουσίασε διαρροές
και κατέπλευσε στην Οκινάουα με τη συνοδεία ρυμουλκών.
Το Φεβρουάριο του 1967 διαλύθηκε στο Καοσιούνγκ.

Built in 1943 by Oregon Ship Building Corporation. Original name **ALBERT A. MICHELSON**.
Delivered to her Greek owners, **Georgios Caravias Sons**,
on **14th February, 1947** and registered at Ithaca.
Her Master was **Gerassimos Mantzaris** and Chief Engineer **Charalampos Laskarides**.
In 1949 she was renamed **PANAGIA K.**
On 9th December, 1966 she developed leaks whilst on a passage in the Pacific
and she called Okinawa, escorted by tugs.
She was scrapped in February, 1967 at Kaohsiung.

Ο Α' Μηχανικός Αντώνης Τσούρας
και, κάτω, ο υιός του Γιάννης
στο Λίμπερτυ ΔΗΜΟΣΘΕΝΗΣ ΠΑΝΤΑΛΕΩΝ, το 1956.
Ο Γιάννης Τσούρας είναι
σήμερα πρόεδρος της Ενώσεως Πλοιάρχων Ε.Ν.

Chief Engineer Antonios Tsouras and, below,
his son John on the Liberty
DIMOSTHENIS PANTALEON, in 1956.
John Tsouras is today president
of the Union of Greek Ship Masters.

Ναυπηγήθηκε το 1943 από την California Shipbuilding Corporation.
Αρχικό όνομα **D. W. HARRINGTON**.
Παραδόθηκε στους Έλληνες πλοιοκτήτες του,
Παναγιώτη και Βασίλη Δημοσθένους Πανταλέων, στις **14 Φεβρουαρίου 1947**
και νηολογήθηκε στον Πειραιά.
Πλοίαρχος ανέλαβε ο **Νικόλαος Γιαλουρής** και Α' Μηχανικός ο **Ιωάννης Φαλαγγάς**.
Τον Σεπτέμβριο του 1969 διαλύθηκε στην Τεργέστη.

Built in 1943 by California Shipbuilding Corporation.
Original name **D. W. HARRINGTON**.
Delivered to her Greek owners,
Panaghiotis and Vassilios D. Pantaleon, on **14th February, 1947**
and registered at Piraeus.
Her Master was **Nicolaos Gialouris** and Chief Engineer **Ioannis Falangas**.
She was scrapped in September, 1969 at Trieste.

Οι πλοιοκτήτες, **Παναγιώτης Πανταλέων** (1907-1968), δεξιά και
Βασίλης Πανταλέων (γεν. 1915), υιοί του **Δημοσθένους** και εγγονοί
του **Παναγιώτη Πανταλέοντος**, από την Ζάτουνα της Αρκαδίας, ιδρυτή
το 1875 της Ατμοπλοΐας Πανταλέων. Η οικογένεια Πανταλέων ήταν
από τους συνιδρυτές της Ακτοπλοΐας της Ελλάδος, το 1929 και της
ΕΛΜΕΣ, το 1936. Κατά τη διάρκεια του Δευτέρου Παγκοσμίου
Πολέμου, ο μεγάλος στόλος επιβατηγών πλοίων της ΕΛΜΕΣ
χάθηκε σχεδόν ολοσχερώς. Διεσώθησαν μόνο τα πλοία ΙΟΝΙΑ
και ΚΟΡΙΝΘΙΑ.

The owners **Panaghiotis Pantaleon** (1907-1968), on the right and
Vassilios Pantaleon (b. 1915), sons of **Dimosthenis** and grandsons of
Panaghiotis Pantaleon, from Zatouna, Arkadia, who established the
Pantaleon Steamship Company in 1875. Pantaleon family were
co-founders of the Greek Steamship Company in 1929 and of ELMES
in 1936. The large passenger fleet of ELMES, was almost totally
destroyed during World War II. Their only vessels, which survived
the war were the IONIA and the KORINTHIA.

Ο Α' Μηχανικός Ιωάννης Μυλωνάς

Chief Engineer Ioannis Mylonas

Το ΔΗΜΟΣΘΕΝΗΣ ΠΑΝΤΑΛΕΩΝ ενώ εισέρχεται στο λιμάνι της Αβάνας, σε τρικυμία στον Ατλαντικό και κατά τη διάρκεια δεξαμενισμού του στον Πειραιά.

DIMOSTHENIS PANTALEON, entering the port of Havana, in heavy seas in the Atlantic and in drydock at Piraeus.

A. DUNCAN, GRAVESEND

Ναυπηγήθηκε το 1944 από την Southeastern Shipbuilding Corporation.
Αρχικό όνομα **BEN ROBERTSON**.
Παραδόθηκε στους Έλληνες πλοιοκτήτες του,
αδελφούς Δημήτριο, Αλκιμο και **Πάνο Γ. Γράτσο**,
στις **17 Φεβρουαρίου 1947** και νηολογήθηκε στην Ιθάκη.
Πλοίαρχος ανέλαβε ο **Αναστάσιος Καραβίας**
και Α' Μηχανικός ο **Εμμανουήλ Βήχος**.
Διαλύθηκε το Δεκέμβριο του 1968 στο Χιράο της Ιαπωνίας.

Built in 1944 by Southeastern Shipbuilding Corporation.
Original name **BEN ROBERTSON**.
Delivered to her Greek owners,
brothers Demetrios, Alkimos and **Panos G. Gratsos**,
on **17th February, 1947** and registered at Ithaca.
Her Master was **Anastassios Caravias**
and Chief Engineer **Emmanouel Vichos**.
She was scrapped in December, 1968 at Hirao, Japan.

Ο Πλοίαρχος, Αναστάσιος Καραβίας,
από την Ιθάκη.

Captain Anastassios Caravias,
from Ithaca.

FOTOFLITE, ASHFORD, KENT, UK

Ναυπηγήθηκε το 1943 από την California Shipbuilding Corporation.
Αρχικό όνομα **PHILIP C. SHERA**.
Παραδόθηκε στους Έλληνες πλοιοκτήτες του, **Υιούς Κωνσταντίνου Λω**
και **Απόστολο Κιουζέ Πεζά**, στις **17 Φεβρουαρίου 1947** και νηολογήθηκε στη Χίο.
Πλοίαρχος ανέλαβε ο **Παναγής Καμπίτσης** και Α' Μηχανικός ο **Δημήτριος Λως**.
Το 1960 πουλήθηκε στην εταιρία Taiwan Chung Hsing S.S. Co. Ltd.
και μετονομάστηκε **VAN FU**, υψώνοντας τη σημαία της Ταϊβάν.
Τον Φεβρουάριο του 1969 διαλύθηκε στο Καοσιούνγκ.

Built in 1943 by California Shipbuilding Corporation.
Original name **PHILIP C. SHERA**.
Delivered to her Greek owners, **Constantinos Los Sons**
and **Apostolos Kiouze Pezas**, on **17th February, 1947** and registered at Chios.
Her Master was **Panaghis Kambitsis** and Chief Engineer **Demetrios Los**.
In 1960 she was sold to Taiwan Chung Hsing S.S. Co. Ltd.,
renamed **VAN FU**, and raised the flag of Taiwan.
She was scrapped in February, 1969 at Kaohsiung.

Ο Α' Μηχανικός και εκ των πλοιοκτητών
Δημήτριος Κ. Λως, το 1939 όταν υπηρετούσε
ως μηχανικός στο πολεμικό ΕΛΛΗ.

Chief Engineer Demetrios K. Los,
one of the owners, in 1939 when he was
serving as an engineer on board
the Greek destroyer ELLI.

Ο **Απόστολος Κιουζέ Πεζάς**, πλοιοκτήτης του πλοίου ΙΓΚΟΡ,
από την Προποντίδα. Στις αρχές του 20ου αιώνα, έζησε στη Ρωσία όπου ασχολήθηκε
με το ανθρακεμπόριο της Μαύρης Θάλασσας.
Το 1917, εγκαταστάθηκε στην Ελλάδα και συνέχισε την επιχειρηματική του
δραστηριότητα, εισερχόμενος και στη ναυτιλία.
Στην προπολεμική περίοδο ήταν συμπλοιοκτήτης σε πλοία του Νικόλα Γ. Λιβανού.

Apostolos Kiouze Pezas owner of IGOR, from Propontis.
In the early years of the 20th century he lived in Russia,
where he was a coal merchant. From 1917 onwards, he lived in Greece.
He was active in various business fields among which shipping.
In the pre-war years he was a shareholder in some vessels
owned by Nicolas G. Livanos.

Ο υποπλοίαρχος
Κωνσταντίνος Καββαδίας,
στο κέντρο,
με αξιωματικούς
και μέλη του πληρώματος.
Ιούλιος 1958.

Chief officer
Constantinos Cavadias,
in the middle,
with officers and crew.
July 1958.

Το Φεβρουάριο του 1958,
η κινηματογραφική εταιρία MGM,
ναύλωσε το Λίμπερτυ ΙΓΚΟΡ, για τις ανάγκες του
γυρίσματος της ταινίας *The decks ran red*.
Στην ταινία, στην οποία πρωταγωνιστούσαν
οι γνωστοί ηθοποιοί James Mason,
Dorothy Dandridge και Broderick Crawford,
έλαβαν μέρος ο υποπλοίαρχος Κωνσταντίνος Καββαδίας
καθώς και μέλη του πληρώματος.
Στις φωτογραφίες, ο υποπλοίαρχος
Κωνσταντίνος Καββαδίας,
με τον James Mason και τον Broderick Crawford.

In February 1958,
the Liberty IGOR was chartered to MGM,
in order to be used in the shooting
of the film *The decks ran red*,
starring James Mason, Dorothy Dandridge
and Broderick Crawford. Chief officer Constantinos
Cavadias, as well as some members of the crew,
took part in this film.
Constantinos Cavadias is pictured here
with James Mason and Broderick Crawford.

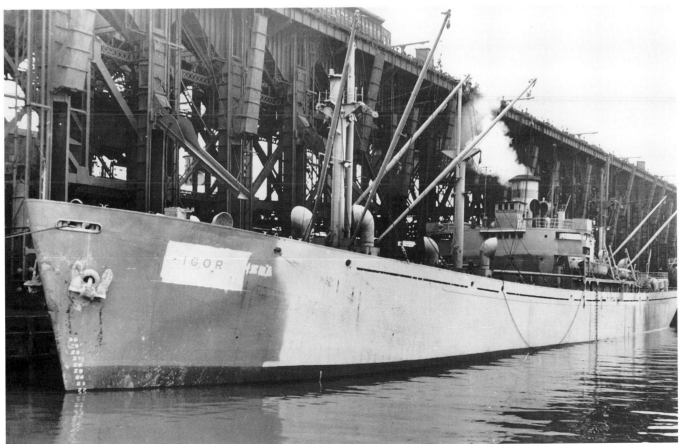

Ο πλοιοκτήτης **Δημήτριος Κωνσταντίνου Γεωργόπουλος**
(1897-1965), πελοποννησιακής καταγωγής.
Εδρασε στη Σύρο, όπου στη διάρκεια του μεσοπολέμου
συμμετείχε ως συμπλοιοκτήτης σε πλοία του ομίλου Κουλουκουντή.

The owner **Demetrios C. Georgopoulos** (1897-1965),
from Peloponissos. He lived in Syros.
In the interwar years he was a shareholder
in vessels owned by the Kulukundis group.

WELSH INDUSTRIAL & MARITIME MUSEUM

Ο πλοιοκτήτης **Νικόλαος Καρέλλας**
(1896-1975), πάνω, πελοποννησιακής
καταγωγής, γεννημένος στη Σύρο.
Υιός του **Δημητρίου Καρέλλα**,
δημιουργού της ομώνυμης
επιχείρησης κλωστοϋφαντουργίας.
Προπολεμικά ασχολήθηκε
κυρίως με την κλωστοϋφαντουργία,
ενώ συμμετείχε και στην πλοιοκτησία
ενός αριθμού ατμοπλοίων.
Στην οικογενειακή επιχείρηση
συμμετείχαν και οι αδελφοί του
Παναγιώτης, κάτω και **Θεόδωρος**.

The owner **Nicolaos Karellas**
(1896-1975), pictured in top photo.
He was born in Syros.
Son of **Demetrios Karellas** from
Peloponissos, who established the
well-known textile factory.
During the interwar years,
he was mainly involved in the textile
industry. He was also a shareholder in
various steamships.
His brothers **Panaghiotis**, pictured below
and **Theodoros**, were also members
of the family business.

Ναυπηγήθηκε το 1943 από την Oregon Ship Building Corporation.
Αρχικό όνομα **R. P. WARNER**. Παραδόθηκε στους Έλληνες πλοιοκτήτες του, **Δημήτριο Γεωργόπουλο** και **Υιούς Δ. Καρέλλα**,
στις **18 Φεβρουαρίου 1947** και νηολογήθηκε στη Σύρο.
Πλοίαρχος ανέλαβε ο **Θωμάς Σγουρδαίος** και Α' Μηχανικός ο **Ιωάννης Βενηκουάς**.
Στις 20 Ιανουαρίου 1955 κατά τη διάρκεια του ταξιδίου Άμστερνταμ/Χάμπτον Ρόουντς και ενώ ευρίσκετο αγκυροβολημένο στο
Τσέρυστον Χιλ, της Βερμούδα, εξώκειλε λόγω κακοκαιρίας.
Την 1 Φεβρουαρίου 1955 αποκολλήθηκε και ρυμουλκήθηκε στο Χάμιλτον. Θεωρήθηκε Τεκμαρτή Ολική Απώλεια.
Την ίδια χρονιά επισκευάσθηκε και πουλήθηκε στην Villalba Compania Naviera S.A., μετονομάστηκε **ALBA**
και ύψωσε την λιβεριανή σημαία. Το 1962 πουλήθηκε στην Lanena Shipping Co. Ltd., Χονγκ Κονγκ, μετονομάστηκε **ΖΑΦΙΡΩ**
και ύψωσε σημαία Παναμά. Το 1967 πουλήθηκε στην Ficodom Shipping Co. S.A. και μετονομάστηκε **TILLIE**.
Διαλύθηκε το 1968 στο Καοσιούνγκ.

Built in 1943 by Oregon Ship Building Corporation.
Original name **R. P. WARNER**. Delivered to her Greek owners, **Demetrios Georgopoulos** and **D. Karellas Sons**,
on **18th February, 1947** and registered at Syros.
Her Master was **Thomas Sgourdeos** and Chief Engineer **Ioannis Venikouas**.
On 20th January, 1955 during the voyage Amsterdam/Hampton Roads,
she was driven aground in heavy weather after dragging her anchor at Cherrystone Hill, Bermuda.
She was refloated on 1st February, 1955 and towed to Hamilton, were she was declared a Constructive Total Loss.
In the same year, she was repaired and sold to Villalba Compania Naviera S.A., renamed **ALBA**
and raised the Liberian flag. In 1962 she was sold to Lanena Shipping Co. Ltd., Hong Kong, renamed **ZAFIRO**
and raised the Panamanian flag. In 1967 she was sold to Ficodom Shipping Co. S.A. and renamed **TILLIE**.
She was scrapped in 1968 at Kaohsiung.

FOTOFLITE, ASHFORD, KENT, UK

Φωτογραφίες από τη ζωή στο πλοίο.
Δεξιά διακρίνεται ο δόκιμος πλοίαρχος
Σπύρος Ράνης.

Life on board the SYROS.
Pictured right is cadet officer
Spyros Ranis.

Στη δεξιά σελίδα, το ΣΥΡΟΣ
προσαραγμένο στις Βερμούδες,
το 1955.

On the right page, SYROS
aground at Bermuda, in 1955.

Ναυπηγήθηκε το 1943 από την Oregon Ship Building Corporation.

Αρχικό όνομα **CUSHING EELLS**. Παραδόθηκε στον Έλληνα πλοιοκτήτη του, **Νικόλαο Κ. Χατζηπατέρα**,

στις **19 Φεβρουαρίου 1947** και νηολογήθηκε στον Πειραιά.

Πλοίαρχος ανέλαβε ο **Ανάργυρος Σκηνίτης** και Α' Μηχανικός ο **Τηλέμαχος Παπαλάς**.

Το 1960 πουλήθηκε στην Diamond Freighters Corporation (Diamandis Pateras Ltd.) και μετονομάστηκε **ΠΡΑΟΤΙΣ**.

Το 1961 πουλήθηκε στην εταιρία Slobodna Plovidba

και μετονομάστηκε **JABLANICA**, υψώνοντας την σημαία της Γιουγκοσλαβίας.

Διαλύθηκε τον Ιανουάριο του 1971 στο Σπλιτ.

Ο πλοιοκτήτης
Νικόλαος Χατζηπατέρας.
Δευτερότοκος υιός του πλοιάρχου
Κωνσταντίνου Χατζηπατέρα,
μεγάλης προσωπικότητας της
αιγνουσιώτικης ναυτιλίας.
Στην πλοιοκτησία του ΑΓΙΟΣ
ΝΙΚΟΛΑΟΣ, συμμετείχε
και ο αδελφός του
Αδαμάντιος Χατζηπατέρας.

The owner
Nicolaos Hadjipateras.
Second son of Master Mariner
Constantinos Hadjipateras,
outstanding personality
of the Oinoussian shipping.
His younger brother
Adamantios Hadjipateras
was a co-owner of the vessel.

A. DUNCAN, GRAVESEND

AGHIOS NICOLAOS

Built in 1943 by Oregon Ship Building Corporation.
Original name **CUSHING EELLS**.
Delivered to her Greek owner, **Nicolaos C. Hadjipateras**, on **19th February, 1947** and registered at Piraeus.
Her Master was **Anargyros Skinitis** and Chief Engineer **Tilemachos Papalas**.
In 1960 she was sold to Diamond Freighters Corporation (Diamandis Pateras Ltd.) and renamed **PRAOTIS**.
In 1961 she was sold to Slobodna Plovidba,
renamed **JABLANICA** and raised the flag of Yugoslavia.
She was scrapped in January, 1971 at Split.

Ο Πλοίαρχος,
Ανάργυρος Σκηνίτης
(1904-1971),
από τις Οινούσσες.

Captain
Anargyros Skinitis
(1904-1971),
from the island
of Oinoussai.

FOTOFLITE, ASHFORD, KENT, UK

Ναυπηγήθηκε το 1943
από την Permanente Metals Corporation, Yard No 1.
Αρχικό όνομα **JOHN CONSTANTINE**.
Παραδόθηκε στους Έλληνες πλοιοκτήτες του, **Υιούς Αντωνίου Λαιμού**,
στις **19 Φεβρουαρίου 1947** και νηολογήθηκε στη Χίο.
Πλοίαρχος ανέλαβε ο **Μιχαήλ Λαιμός**
και Α' Μηχανικός ο **Γεώργιος Λαιμός**.
Το 1962 πουλήθηκε στην Viasegura Cia. Naviera S.A.
(Όμιλος Μαρτή Κουλουκουντή)
και μετονομάστηκε **ΝΤΕΛΙΣ**,
υψώνοντας την σημαία του Λιβάνου.
Το 1963 πουλήθηκε στην Jayanti Shipping Co. Ltd.,
μετονομάστηκε **BUDHA JAYANTI**
και ύψωσε την σημαία των Ινδιών.
Το Μάϊο του 1966 διαλύθηκε στη Βομβάη.

Built in 1943 by
Permanente Metals Corporation, Yard No 1.
Original name **JOHN CONSTANTINE**.
Delivered to her Greek owners, **Antonios Lemos Sons**,
on **19th February, 1947** and registered at Chios.
Her Master was **Michael Lemos**
and Chief Engineer **Georgios Lemos**.
In 1962 she was sold to Viasegura Cia. Naviera S.A.
(Martis Kulukundis Group),
renamed **DELIS** and raised the flag of Lebanon.
In 1963 she was sold to Jayanti Shipping Co. Ltd.,
renamed **BUDHA JAYANTI**
and raised the Indian flag.
She was scrapped in May, 1966 at Bombay.

Ο πλοίαρχος
Δημήτριος Αντωνίου
Λαιμός (1884-1956)

Captain Demetrios
A. Lemos (1884-1956)

Η οικογένεια του πλοιάρχου **Αντωνίου Παπαγεωργίου Λαιμού**, από τις παλαιότερες ναυτικές οικογένειες των Οινουσσών, εισήλθε στην ατμήρη ναυτιλία την πρώτη δεκαετία του 20ου αιώνα. Οι τέσσερις υιοί του Αντωνίου Λαιμού **Δημήτριος**, **Παντελής**, **Σπύρος** και **Πολύδωρος** εξελίχθηκαν σε πλοιάρχους, αναπτύσσοντας παράλληλα και σημαντική εφοπλιστική δραστηριότητα. Ο Σπύρος Α. Λαιμός και τα αδέλφια του ήταν από τους συνιδρυτές του οίκου Lemos & Pateras Ltd. το 1937. Στη διάρκεια του Δευτέρου Παγκοσμίου Πολέμου, απώλεσαν τα πλοία ΑΝΤΩΝΗΣ, ΔΗΜΗΤΡΗΣ και ΓΑΡΟΥΦΑΛΙΑ.

Ο Σπύρος Αντωνίου Λαιμός (1897-1962), αριστερά, με τον ανηψιό του πλοίαρχο Μιχαλάκη Λαιμό, ο οποίος παρέλαβε το Λίμπερτυ ΑΝΤΩΝΗΣ.

Spyros A. Lemos (1897-1962), left, with his nephew captain Michalakis Lemos, Master of the ANTONIS.

The family of Master Mariner **Antonios P. Lemos**, one of the traditional shipping families from the island of Oinoussai, acquired their first steamers in the early years of the 20th century. His four sons, **Demetrios**, **Pantelis**, **Spyros** and **Polydoros** became Master Mariners and succeeded in acquiring a number of steamers during the interwar period. Spyros A. Lemos and his brothers were co-founders of the shipping office Lemos & Pateras Ltd., in 1937. In World War II, they lost their ships ANTONIS, DIMITRIS and GAROUFALIA.

Ο πλοίαρχος Παντελής Αντωνίου Λαιμός (1893-1957)

Captain Pantelis A. Lemos (1893-1957)

Ο πλοίαρχος Πολύδωρος Αντωνίου Λαιμός (1902-1972)

Captain Polydoros A. Lemos (1902-1972)

ΑΤΑΛΑΝΤΗ • ΑΤΑLΑΝΤΙ

Μιχαήλ Γ. Λιβανός (1879-1956)

Michael G. Livanos (1879-1956)

Ναυπηγήθηκε το 1943
από την Oregon Ship Building Corporation.
Αρχικό όνομα **THOMAS J. WALSH**.
Παραδόθηκε στον Έλληνα πλοιοκτήτη του,
Μιχαήλ Γ. Λιβανό, στις **21 Φεβρουαρίου 1947**
και νηολογήθηκε στον Πειραιά.
Πλοίαρχος ανέλαβε ο **Ιωάννης Αμπατζής**
και Α' Μηχανικός ο **Γεώργιος Πίττας**.
Το 1962 πουλήθηκε στην εταιρία Tramp Tankers Corporation,
μετονομάστηκε **TRAMPROVER**
και ύψωσε τη σημαία της Λιβερίας.
Το 1966 πουλήθηκε στην εταιρία Quinto Navigation
Corporation και μετονομάστηκε **BOREAL**.
Τον Απρίλιο του 1969 διαλύθηκε στο Καοσιούνγκ.

Built in 1943 by Oregon Ship Building Corporation.
Original name **THOMAS J. WALSH**.
Delivered to her Greek owner, **Michael G. Livanos**,
on **21st February, 1947** and registered at Piraeus.
Her Master was **Ioannis Abatzis**
and Chief Engineer **Georgios Pittas**.
In 1962 she was sold to Tramp Tankers Corporation,
renamed **TRAMPROVER**
and raised the Liberian flag.
In 1966 she was sold to Quinto Navigation Corporation
and renamed **BOREAL**.
She was scrapped in April, 1969 at Kaohsiung.

Ο υποπλοίαρχος
Μάρκος Βοριάς,
μπροστά στο
Λίμπερτυ
ΑΤΑΛΑΝΤΗ.

Chief officer
Markos Vorias,
in front of the
Liberty
ATALANTI.

Ο **Μιχαήλ Γεωργίου Λιβανός**
ήταν πρωτότοκος υιός του πλοιάρχου
Γεωργίου Μ. Λιβανού, θεμελιωτή
της μεγάλης ναυτικής οικογένειας από
τα Καρδάμυλα της Χίου.
Σπούδασε αρχικά Ιατρική
αλλά τελικά ασχολήθηκε με το ναυτικό
επάγγελμα και εξελίχθηκε σε
πλοίαρχο και εφοπλιστή.
Συνεργάστηκε προπολεμικά
με τους αδελφούς του Νικόλαο
και Σταύρο Λιβανό.
Μετά τον Δεύτερο Παγκόσμιο Πόλεμο
έδρασε ανεξάρτητα μαζί
με τον υιό του **Γεώργιο Μ. Λιβανό**.

Γεώργιος Μ. Λιβανός (1908-1964)

Georgios M. Livanos (1908-1964)

Ο Β' Μηχανικός Νικόλαος Συρίμης στη γέφυρα του TRAMPROVER.

Second Engineer Nicolaos Syrimis on the bridge of the TRAMPROVER.

FOTOFLITE, ASHFORD, KENT, UK

Ο Πλοίαρχος Μάρκος Βοριάς, στο γραφείο του πλοίου TRAMPROVER.

Markos Vorias, Master of the TRAMPROVER in his office.

Michael G. Livanos
was the eldest son
of captain **Georgios M. Livanos**,
founder of the well-known shipping
family, from Kardamyla, Chios.
He read Medicine,
but eventually became
a Master Mariner and a shipowner.
During the pre-war years
he worked with his brothers
Nicolaos and Stavros Livanos.
After World War II,
he established his own office
with his son
Georgios M. Livanos.

Ναυπηγήθηκε το 1944 από την Delta Shipbuilding Company. Αρχικό όνομα **GEORGE A. MARR**.
Παραδόθηκε στον Έλληνα πλοιοκτήτη του, **Μιχαήλ Ηλία Κουλουκουντή**, στις **25 Φεβρουαρίου 1947** και νηολογήθηκε στη Σύρο.
Πλοίαρχος ανέλαβε ο **Παναγιώτης Πυρόπουλος** και Α' Μηχανικός ο **Ευάγγελος Στρουμπούλης**.
Το 1951 πουλήθηκε στην Α.Κ. & Igor Pezas και μετονομάστηκε **ΑΝΙΑ**. Το 1959 πουλήθηκε στην Yukon Cia. Naviera S.A.
και μετονομάστηκε **ΓΡΑΜΜΑΤΙΚΗ**. Στις 7 Φεβρουαρίου 1964, ενώ έπλεε από την Τακόμα στη Φορμόζα φορτωμένο με
παλιοσίδερα, κατά τη διάρκεια κακοκαιρίας στον Ειρηνικό, παρουσίασε διαρροές.
Την επόμενη μέρα εγκαταλείφθηκε και βυθίστηκε.

Built in 1944 by Delta Shipbuilding Company. Original name **GEORGE A. MARR**.
Delivered to her Greek owner, **Michael E. Kulukundis**, on **25th February, 1947** and registered at Syros.
Her Master was **Panaghiotis Pyropoulos** and Chief Engineer **Evangelos Stroumpoulis**.
In 1951 she was sold to A.K. & Igor Pezas and renamed **ANIA**. In 1959 she was sold to Yukon Cia. Naviera S.A.
and renamed **GRAMMATIKI**. On 7th February, 1964 whilst on a passage from Tacoma to Formoza, loaded with scrap
iron, she developed leaks during heavy weather in the Pacific Ocean.
The next day she was abandoned and sank.

Ο πλοιοκτήτης **Μιχαήλ Η. Κουλουκουντής** (1906-1991), δεξιά,
νεώτερος υιός του πλοιάρχου **Ηλία Γ. Κουλουκουντή**
(1858-1926). Σπούδασε ιατρική, αλλά τελικά ασχολήθηκε με την
οικογενειακή ναυτιλιακή επιχείρηση, κοντά στους αδελφούς του
Γεώργιο, Νικόλαο, Μανώλη και **Ιωάννη**.
Το Λίμπερτυ **ΣΤΑΘΗΣ Ι. ΓΙΑΝΝΑΓΑΣ**, ονομάστηκε προς τιμήν
του πεθερού του, κασσιώτη πλοιάρχου και εφοπλιστή
Στάθη Ι. Γιανναγά, ο οποίος απεβίωσε το 1942.
Συμπλοιοκτήτης του πλοίου ήταν ο σύγγαμβρός του ιατρός
Ανδρέας Ανδριανόπουλος (1907-1991), αριστερά.

The owner **Michael E. Kulukundis** (1906-1991), pictured right,
was the youngest son of Master Mariner **Elias G. Kulukundis**
(1858-1926). He read Medicine, but he finally joined his family's
shipping business.
The Liberty STATHES J. YANNAGHAS, was named after his late
father in law, **Stathes J. Yannaghas**, Master Mariner and
shipowner from Kassos, who passed away in 1942.
Andreas Andrianopoulos (1907-1991), pictured left,
also a son-in-law of Stathes J. Yannaghas,
was a co-owner of the vessel.

Ο Ηλίας και ο Στάθης Κουλουκουντής, υιοί του πλοιοκτήτη Μιχαήλ Κουλουκουντή, στο κατάστρωμα του πλοίου.

Elias and Stathes Kulukundis, sons of the owner Michael Kulukundis, on board the STATHES J. YANNAGHAS.

FOTOFLITE, ASHFORD, KENT, UK

Ο Πλοίαρχος, Νικόλαος Σταματίου
Ιγγλέσης (1896-1963),
από το Καρλόβασι, της Σάμου.

Captain Nicolaos S. Inglessis
(1896-1963),
from Karlovassi, Samos.

Ναυπηγήθηκε το 1943 από την
Permanente Metals Corporation, Yard No 2.
Αρχικό όνομα **JOHN L. STODDARD**.
Παραδόθηκε στους Έλληνες πλοιοκτήτες του,
Υιούς Δ. Ιγγλέση,
στις **25 Φεβρουαρίου 1947**
και νηολογήθηκε στη Σάμο.
Πλοίαρχος ανέλαβε ο **Νικόλαος Ιγγλέσης**
και Α᾽ Μηχανικός ο **Βασίλειος Πρωτόπαππας**.
Διαλύθηκε τον Ιούνιο του 1967 στο Χσίνκανγκ.

Built in 1943 by
Permanente Metals Corporation, Yard No 2.
Original name **JOHN L. STODDARD**.
Delivered to her Greek owners,
Inglessis D. Sons,
on **25th February, 1947**
and registered at Samos.
Her Master was, **Nicolaos Inglessis**
and Chief Engineer **Vassilios Protopappas**.
She was scrapped in June, 1967 at Hsinkang.

Οι πλοιοκτήτες, **Υιοί Δημητρίου Ιγγλέση**, παραδοσιακή ναυτική οικογένεια από τη Σάμο.
Ορθιοι από αριστερά: **Ηρακλής Δ. Ιγγλέσης** (1879-1970) και **Σωκράτης Δ. Ιγγλέσης** (1883-1965).
Καθιστοί από αριστερά: **Νικόλαος Δ. Ιγγλέσης** (1875-1969), **Σταμάτης Δ. Ιγγλέσης** (1866-1956)
και **Ιωάννης Δ. Ιγγλέσης** (1873-1957).
Κατά τη διάρκεια του Δευτέρου Παγκοσμίου Πολέμου, απώλεσαν τα ατμόπλοια
ΑΛΜΠΕΡΤΑ, ΒΑΘΥ ΣΑΜΟΥ και ΦΡΙΝΤΩΝ.

The owners, **Demetrios Inglessis Sons**, traditional shipping family from the island of Samos.
Standing from left: **Heracles D. Inglessis** (1879-1970) and **Socrates D. Inglessis** (1883-1965).
Sitting from left: **Nicolaos D. Inglessis** (1875-1969), **Stamatis D. Inglessis** (1866-1956)
and **Ioannis D. Inglessis** (1873-1957).
During World War II, they lost their steamers ALBERTA, VATHY OF SAMOS and FRINTON.

Ο πλοιοκτήτης, πλοίαρχος **Βασίλειος Ιωάννου Πατέρας**,
από τις Οινούσσες, δραστηριοποιήθηκε προπολεμικά με τους
αδελφούς του **Νικόλαο** και **Γεώργιο**.
Κατά τη διάρκεια του Δευτέρου Παγκοσμίου Πολέμου,
απώλεσαν το ατμόπλοιο ΔΙΡΦΥΣ.

The owner, captain **Vassilios J. Pateras**,
from the island of Oinoussai, acquired his first steamer
during the interwar period, in partnership
with his brothers **Nicolaos** and **Georgios**.
In World War II, they lost their ship DIRPHYS.

Ναυπηγήθηκε το 1943 από την California Shipbuilding Corporation. Αρχικό όνομα **FRANK WIGGINS**.
Παραδόθηκε στον Έλληνα πλοιοκτήτη του, **Βασίλειο Ι. Πατέρα**, στις **26 Φεβρουαρίου 1947** και νηολογήθηκε στον Πειραιά.
Πλοίαρχος ανέλαβε ο **Γεώργιος Πατέρας** και Α' Μηχανικός ο **Γεώργιος Γεωργιλής**.
Τον Οκτώβριο του 1967 διαλύθηκε στη Σαγκάη.

Built in 1943 by California Shipbuilding Corporation. Original name **FRANK WIGGINS**.
Delivered to her Greek owner, **Vassilios J. Pateras**, on **26th February, 1947** and registered at Piraeus.
Her Master was **Georgios Pateras** and Chief Engineer **Georgios Georgilis**.
She was scrapped in October, 1967 at Shanghai.

A. DUNCAN, GRAVESEND

Ο πλοίαρχος Κωνσταντίνος Ν. Κουτέπας
(1893-1954), από τη Σύρο.

Captain Constantinos N. Koutepas
(1893-1954), from Syra.

FOTOFLITE, ASHFORD, KENT, UK

Η Ατμοπλοΐα Κάσσου Α.Ε. ιδρύθηκε στη Σύρα το 1927 και εξελίχθηκε σε έναν από τους σημαντικότερους ελληνικούς ναυτιλιακούς ομίλους.
Ιδρυτές και κύριοι μετοχοί της ήταν ο πλοίαρχος **Μιχαήλ Ιωάννου Πνευματικός**, οι πλοίαρχοι αδελφοί **Νικόλαος Βασιλείου Ρεθύμνης** και **Μηνάς Βασιλείου Ρεθύμνης** και ο επίσης πλοίαρχος **Ευστάθιος Ιωάννου Γιανναγάς** (1876-1942), όλοι από την Κάσσο.
Ο Μιχαήλ Πνευματικός εξελέγη, το 1936, πρόεδρος της Ενώσεως Ελλήνων Εφοπλιστών.
Η Ατμοπλοΐα Κάσσου Α.Ε., υπήρξε ένας από τους πρώτους ελληνικούς εφοπλιστικούς ομίλους που ναυπήγησαν πλοία στα αγγλικά ναυπηγεία στη διάρκεια των δεκαετιών του 1920 και 1930.
Μεταξύ αυτών το ΚΑΣΣΟΣ, το πρώτο ναυπηγηθέν ελληνικό διζελόπλοιο (1939), το οποίο και επεβίωσε του πολέμου.
Από τα υπόλοιπα έξι πλοία του ομίλου, απωλέσθησαν τέσσερα, τα ΘΕΜΩΝΗ, ΧΑΔΙΩΤΗΣ, ΧΕΛΑΤΡΟΣ και ΝΙΤΣΑ.

Kassos Steam Navigation Company S.A. of Syra, founded in 1927, was one of the most respected maritime Greek establishments.
Its founders and main shareholders were captain **Michael J. Pnevmaticos**, captain **Nicolaos V. Rethymnis**,
captain **Minas V. Rethymnis** and captain **Efstathios J. Yannaghas** (1876-1942), all from the island of Kassos.
Michael Pnevmaticos was elected chairman of the Union of Greek Shipowners, in 1936.
The Group was one of several Greek shipping firms that built vessels in British shipyards during the twenties and the thirties,
including the first newly built greek motorship KASSOS (1939), which survived the war.
Of the remaining six vessels of the group, THEMONI, HADIOTIS, CHELATROS, and NITSA were lost.

Ναυπηγήθηκε το 1944 από την Southeastern Shipbuilding Corporation.
Αρχικό όνομα **JOSIAH COHEN**.
Παραδόθηκε στους Έλληνες πλοιοκτήτες του, **Ατμοπλοΐα Κάσσου Α.Ε.**,
στις **27 Φεβρουαρίου 1947** και νηολογήθηκε στη Σύρο.
Πλοίαρχος ανέλαβε ο **Κωνσταντίνος Κουτέπας**
και Α' Μηχανικός ο **Αθανάσιος Αθανασιάδης**.
Το 1961 πουλήθηκε στην A. Frangistas & Partners και μετονομάστηκε
ΝΙΚΟΛΑΟΣ ΦΡΑΓΚΙΣΤΑΣ. Το 1964 μετονομάστηκε **ΝΙΚΟΛΑΟΣ Φ.**
Το 1969 πουλήθηκε στην Kounistra Shipping Co. Ltd.
και μετονομάστηκε **ΚΟΥΝΙΣΤΡΑ**, υψώνοντας την κυπριακή σημαία.
Διαλύθηκε το Σεπτέμβριο του 1971 στη Βαλένσια.

Built in 1944 by Southeastern Shipbuilding Corporation.
Original name **JOSIAH COHEN**.
Delivered to her Greek owners, **Kassos Steam Navigation Company S.A. Syra**,
on **27th February, 1947** and registered at Syros.
Her Master was **Constantinos Koutepas**
and Chief Engineer **Athanassios Athanassiades**.
In 1961 she was sold to A. Frangistas & Partners
and renamed **NICOLAOS FRANGISTAS**. In 1964 she was renamed **NICOLAOS F.**
In 1969 she was sold to Kounistra Shipping Co. Ltd.,
renamed **KOUNISTRA** and raised the flag of Cyprus.
She was scrapped in September, 1971 at Valencia.

Νικόλαος Β. Ρεθύμνης (1886-1981)
Nicolaos V. Rethymnis (1886-1981)

Μηνάς Β. Ρεθύμνης (1892-1977)
Minas V. Rethymnis (1892-1977)

Μιχαήλ Ι. Πνευματικός (1883-1969)
Michael J. Pnevmaticos (1883-1969)

185

Ναυπηγήθηκε το 1943 από την Permanente Metals Corporation, Yard No 1.
Αρχικό όνομα **HARRY LEON WILSON**.
Παραδόθηκε στους Έλληνες πλοιοκτήτες του, **Υιούς Κωσταντή Πατέρα**, στις **28 Φεβρουαρίου 1947**
και νηολογήθηκε στον Πειραιά. Πλοίαρχος ανέλαβε ο **Κωνσταντίνος Ανδρεάδης** και Α' Μηχανικός ο **Βλάσιος Θεολόγου**.
Το 1967 πουλήθηκε στην Marmerito Cia. Naviera S.A.,
μετονομάστηκε **ARAGON** και ύψωσε τη σημαία της Σομαλίας.
Στις 11 Φεβρουαρίου 1971, ενώ εκτελούσε το ταξίδι Κούβα/Ροστόκ,
συγκρούστηκε με το βουλγαρικό τάνκερ HYDROPHANE κοντά στα στενά του Ντόβερ.
Η πλώρη καταστράφηκε αλλά κατόρθωσε να πλεύσει στο Ροστόκ.
Τον Μάρτιο του 1971 διαλύθηκε στο Αμβούργο.

Built in 1943 by Permanente Metals Corporation, Yard No 1.
Original name **HARRY LEON WILSON**.
Delivered to her Greek owners, **Costantis Pateras Sons**, on **28th February, 1947** and registered at Piraeus.
Her Master was **Constantinos Andreadis** and Chief Engineer **Vlassios Theologou**.
In 1967 she was sold to Marmerito Cia. Naviera S.A.,
renamed **ARAGON** and raised the flag of Somalia.
On 11th February, 1971 whilst on a passage from Cuba to Rostock,
she collided with the Bulgarian tanker HYDROPHANE, near the Dover Straits.
The bow was damaged but she managed to arrive at Rostock.
She was scrapped in March, 1971 at Hamburg.

Γεώργιος Κ. Πατέρας

Georgios C. Pateras

Οι πλοιοκτήτες, πλοίαρχος **Γεώργιος Κ. Πατέρας**
(1890-1947), **Δημήτριος Κ. Πατέρας** (1895-1953)
και **Νικόλαος Κ. Πατέρας** (1901-1979), μέλη μιας
από τις παλαιότερες ναυτικές οικογένειες των Οινουσσών,
με δραστηριότητα στην ατμήρη ναυτιλία
από τις αρχές του αιώνα. Ηταν υιοί του πλοιάρχου
Κωσταντή Δ. Πατέρα (1858-1942).
Κατά τη διάρκεια του Δευτέρου Παγκοσμίου Πολέμου
απώλεσαν τα πλοία ΑΙΓΕΥΣ και ΑΙΑΣ.

The owners, captain **Georgios C. Pateras**
(1890-1947), **Demetrios C. Pateras** (1895-1953)
and **Nicolaos C. Pateras** (1901-1979), sons of Master
Mariner **Costantis D. Pateras** (1858-1942),
founder of the traditional shipping family,
from the island of Oinoussai.
They acquired their first steamer in the early years
of the century. During World War II,
they lost their steamers AEAS and AEGEUS.

Νικόλαος Κ. Πατέρας

Nicolaos C. Pateras

Ο Πλοίαρχος, Κωνσταντίνος Δ. Ανδρεάδης (1903-1978)

Captain Constantinos D. Andreadis (1903-1978)

A. DUNCAN, GRAVESEND

A. DUNCAN, GRAVESEND

Ναυπηγήθηκε το 1943 από την J. A. Jones Construction Co, Wainwright Yard.
Αρχικό όνομα **DUNCAN U. FLETCHER**.
Παραδόθηκε στους Έλληνες πλοιοκτήτες του, **Ιόνιον Α.Ε.**
(Γεώργιος Βεργωτής), στις **3 Μαρτίου 1947** και νηολογήθηκε στο Αργοστόλι.
Πλοίαρχος ανέλαβε ο **Παναγής Σβορώνος** και Α' Μηχανικός ο **Διονύσιος Μαλαμής**.
Στις 19 Απριλίου 1966, ενώ εκτελούσε το ταξίδι Σουώνση/Τάμπα, κενό φορτίου,
προσάραξε στο Άγιαξ Ριφ, 23 μίλια νότια του Μαϊάμι.
Στις 28 Απριλίου αποκολλήθηκε με ζημιές,
ρυμουλκήθηκε στο Τάρτλ Κέι και ακολούθως στη Νέα Ορλεάνη.
Το Σεπτέμβριο του 1966,
πουλήθηκε για διάλυση στην Ταϊβάν.

Built in 1943 by J. A. Jones Construction Co, Wainwright Yard.
Original name **DUNCAN U. FLETCHER**.
Delivered to her Greek owners, **Ionion S.A.**
(Georgios Vergottis), on **3rd March, 1947** and registered at Argostoli.
Her Master was **Panaghis Svoronos** and Chief Engineer **Dionysios Malamis**.
On 19th April, 1966 whilst on a passage from Swansea to Tampa in ballast,
she went aground on Ajax Reef, 23 miles south of Miami.
She was damaged but refloated and was towed
to Turtle Cay and then to New Orleans.
In September, 1966,
she was sold to Taiwanese breakers.

Ναυπηγήθηκε το 1944 από την California Shipbuilding Corporation.
Αρχικό όνομα **ROBERT L. HAGUE**.
Παραδόθηκε στον Έλληνα πλοιοκτήτη του, **Σταύρο Γ. Λιβανό**,
στις **3 Μαρτίου 1947** και νηολογήθηκε στον Πειραιά.
Πλοίαρχος ανέλαβε ο **Μάριος Βαλλιάνος**
και Α' Μηχανικός ο **Βασίλειος Παραβιάς**.
Το 1964 πουλήθηκε στην Acme Financing Ltd.
και μετονομάστηκε **ATLANTIC MASTER**.
Το 1965 πουλήθηκε στην Oriental Union Marine Corporation,
μετονομάστηκε **FORWARD** και ύψωσε τη σημαία της Λιβερίας.
Διαλύθηκε το 1968 στο Καοσιούνγκ.

WORLD SHIP SOCIETY

Built in 1944 by California Shipbuilding Corporation.
Original name **ROBERT L. HAGUE**.
Delivered to her Greek owner, **Stavros G. Livanos**,
on **3rd March, 1947** and registered at Piraeus.
Her Master was **Marios Vallianos**
and Chief Engineer **Vassilios Paravias**.
In 1964 she was sold to Acme Financing Ltd.
and renamed **ATLANTIC MASTER**.
In 1965 she was sold to Oriental Union Marine Corporation,
renamed **FORWARD** and raised the Liberian flag.
She was scrapped in 1968 at Kaohsiung.

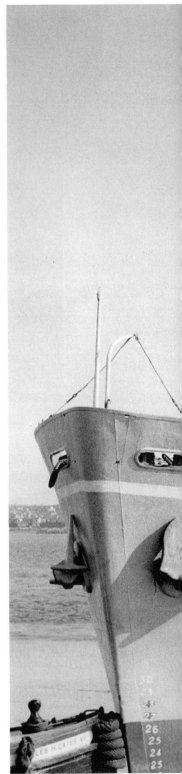

A. DUNCAN, GRAVESEND

A. DUNCAN, GRAVESEND

Ο Πλοίαρχος, Γεώργιος Τριπολίτης (1894-1982), από τη Σύρο.

Captain Georgios Tripolitis (1894-1982), from Syra.

Ναυπηγήθηκε το 1944 από την Permanente Metals Corporation, Yard No 2.

Αρχικό όνομα **W. B. RODGERS**.

Παραδόθηκε στον Έλληνα πλοιοκτήτη του, **Νικόλα Γ. Λιβανό**,

στις **3 Μαρτίου 1947** και νηολογήθηκε στον Πειραιά.

Πλοίαρχος ανέλαβε ο **Γεώργιος Τριπολίτης** και Α' Μηχανικός ο **Ευάγγελος Χιώτης**.

Το 1960 πουλήθηκε στην North Europe and Persian Gulf Transport Corporation

και μετονομάστηκε **JENNY III,** υψώνοντας την σημαία του Λιβάνου.

Στις 6 Αυγούστου 1962 προσάραξε στον ποταμό Γκουάγιας.

Στις 15 Αυγούστου απεκολλήθη, αλλά στις 28 Αυγούστου,

ενώ εκτελούσε το ταξίδι Γκουγιαγκίλ/Νέα Ορλεάνη, προσάραξε πάλι στη Σερράνα Μπάνκ.

Στις 8 Σεπτεμβρίου 1962 απεκολλήθη και ρυμουλκήθηκε στη Νέα Ορλεάνη.

Θεωρήθηκε Τεκμαρτή Ολική Απώλεια και τον Ιούνιο του 1963 διαλύθηκε.

Built in 1944 by Permanente Metals Corporation, Yard No 2.

Original name **W. B. RODGERS.**

Delivered to her Greek owner, **Nicolas G. Livanos,**

on **3rd March, 1947** and registered at Piraeus.

Her Master was **Georgios Tripolitis** and Chief Engineer **Evangelos Chiotis.**

In 1960 she was sold to North Europe and Persian Gulf Transport Corporation,

renamed **JENNY III** and raised the flag of Lebanon.

On 6th August, 1962 she grounded on Guayas River.

She was refloated on 15th August. On 28th August whilst on a passage from Guayaquil

to New Orleans, she grounded on Serrana Bank.

On 8th September, 1962 she was refloated and towed to New Orleans.

Declared a Constructive Total Loss and was scrapped locally in June, 1963.

Ο δόκιμος πλοίαρχος Απόστολος
Χατζηελευθεριάδης, σήμερα εφοπλιστής,
το 1957 επί του ΑΚΤΗ
στο Σαν Αντόνιο της Χιλής.

Cadet officer Apostolos Hadjieleftheriades,
today a shipowner,
on the deck of the Liberty ΑΚΤΙ
at San Antonio, Chile, in 1957.

Ναυπηγήθηκε το 1943
από την Permanente Metals Corporation, Yard No 1.
Αρχικό όνομα **WILLIAM W. CAMPBELL**.
Παραδόθηκε στον Έλληνα πλοιοκτήτη του, **Σταύρο Γ. Λιβανό**,
στις **3 Μαρτίου 1947**
και νηολογήθηκε στον Πειραιά.
Πλοίαρχος ανέλαβε ο **Δημήτριος Μαρτάκης**
και Α' Μηχανικός ο **Παναγιώτης Βασιλείου**.
Το 1963 πουλήθηκε στην Kai Tai Marine Lines Ltd.,
μετονομάστηκε **NEW KAILUNG**
και ύψωσε την σημαία της Ταϊβάν.
Το Μάρτιο του 1967 διαλύθηκε στο Καοσιούνγκ.

Built in 1943 by
Permanente Metals Corporation, Yard No 1.
Original name **WILLIAM W. CAMPBELL**.
Delivered to her Greek owner, **Stavros G. Livanos**,
on **3rd March, 1947**
and registered at Piraeus.
Her Master was **Demetrios Martakis**
and Chief Engineer **Panaghiotis Vassiliou**.
In 1963 she was sold to Kai Tai Marine Lines Ltd.,
renamed **NEW KAILUNG**
and raised the flag of Taiwan.
She was scrapped in March, 1967 at Kaohsiung.

Ο πλοίαρχος Δημήτριος Μαρτάκης
(1910 -1996),
από τη Χίο.

Captain Demetrios Martakis
(1910-1996),
from Chios.

Ναυπηγήθηκε το 1944 από την New England Shipbuilding Corporation. Αρχικό όνομα **ELIJAH KELLOGG**.
Παραδόθηκε στους Έλληνες πλοιοκτήτες του, **Υιούς Ιωάννη**, **Λουκά**
και **Στάμου Φαφαλιού** και **Αθανάσιο Αναστασίου**, στις **4 Μαρτίου 1947** και νηολογήθηκε στη Χίο.
Πλοίαρχος ανέλαβε ο **Ιωάννης Σπανουδάκης** και Α' Μηχανικός ο **Δημήτριος Κούρτης**.
Στις 14 Φεβρουαρίου 1952, ενώ εκτελούσε το ταξίδι Φιλαδέλφεια/Καράτσι,
προσάραξε στην Ιζόλα ντε-λα Κορέντι, της Ιταλίας και υπέστη σοβαρές ζημιές στα ύφαλά του.
Ρυμουλκήθηκε στην Κατάνια, όπου εκφόρτωσε το φορτίο του και στη συνέχεια στην Αμβέρσα, όπου επισκευάστηκε.
Επέστρεψε στην Κατάνια, επαναφόρτωσε και συνέχισε το ταξίδι του, αλλά προσάραξε έξω
από το λιμάνι του Καράτσι στις 27 Ιουνίου 1952, κόπηκε στα δύο και την επόμενη μέρα βυθίστηκε.

Ο **Αθανάσιος Αναστασίου** (1902-1968), από την Προποντίδα,
εργάστηκε αρχικά στην ακτοπλοϊκή εταιρία των θείων του
Αδελφών Μανουηλίδη και αργότερα στην Ακτοπλοΐα της
Ελλάδος. Στην δεκαετία του 1930 συμμετείχε σε
συμπλοιοκτησίες, ενώ στη διάρκεια του Δευτέρου Παγκοσμίου
Πολέμου μετέβη στην Αμερική,
όπου διηύθυνε το ναυτιλιακό γραφείο της οικογένειας
Φαφαλιού, στη Νέα Υόρκη.

Athanassios Anastassiou (1902-1968) from Propontis,
worked at his uncle's coastal company Manouelides Brothers
and later at the Hellenic Steamship Company.
In the thirties he participated in co-ownerships and during
World War II he lived in the U.S.A.,
where he became the manager of the
Fafalios firm in New York.

FOTOFLITE, ASHFORD, KENT, UK

Built in 1944 by New England Shipbuilding Corporation.
Original name **ELIJAH KELLOGG**. Delivered to her Greek owners, **Ioannis**, **Loucas**
and **Stamos Fafalios Sons** and **Athanassios Anastassiou**, on **4th March, 1947** and registered at Chios.
Her Master was **Ioannis Spanoudakis** and Chief Engineer **Demetrios Kourtis**.
On 14th February, 1952, whilst on a passage from Philadelphia to Karachi, she stranded at Isola della Correnti, Italy.
She was towed to Catania with heavy bottom damage, discharged cargo and then towed to Antwerp for repairs.
Returned to Catania, reloaded cargo and resumed her voyage only to strand
outside Karachi harbour on 27th June, 1952.
She broke in two and sank on the following day.

Ναυπηγήθηκε το 1943 από την Todd Houston Shipbuilding Corporation.
Αρχικό όνομα **JUBAL A. EARLY**.
Παραδόθηκε στους Έλληνες πλοιοκτήτες του, **Όμιλο Ρεθύμνη - Κουλουκουντή**,
στις **5 Μαρτίου 1947** και νηολογήθηκε στην Σύρο.
Πλοίαρχος ανέλαβε ο **Ιωάννης Φωνάρης** και Α' Μηχανικός ο **Κωνσταντίνος Αντωνίου**.
Το 1948 πουλήθηκε στον Όμιλο Σιτινά διατηρώντας το ίδιο όνομα.
Το 1964 πουλήθηκε στην Greek Shipping Enterprises (Όμιλος Σιτινά)
και μετονομάστηκε **ΚΑΠΤΑΙΝ ΝΙΚΟΛΑΣ**.
Τον Ιούνιο του 1968 διαλύθηκε στη Σοντοσίμα, της Ιαπωνίας.

FOTOFLITE, ASHFORD, KENT, UK

Built in 1943 by Todd Houston Shipbuilding Corporation.
Original name **JUBAL A. EARLY**.
Delivered to her Greek owners, **Rethymnis - Kulukundis Group**,
on **5th March, 1947** and registered at Syros.
Her Master was **Ioannis Fonaris** and Chief Engineer **Constantinos Antoniou**.
In 1948 she was sold to Sitinas Group, maintaining the same name.
In 1964 she was sold to Greek Shipping Enterprises (Sitinas Group)
and renamed **CAPTAIN NICOLAS**.
In June, 1968 she was scrapped at Shodoshima, Japan.

Ο πλοίαρχος **Νικόλαος Ζ. Σιτινάς** (1886-1951), από την Κάσσο, πλοιοκτήτης του ΝΙΚΟΛΑΣ Γ. ΚΟΥΛΟΥΚΟΥΝΤΗΣ από το 1948.

Captain **Nicolaos Z. Sitinas** (1886-1951), from the island of Kassos, owner of the NICOLAS G. KULUKUNDIS, since 1948.

Ο Πλοίαρχος, **Ιωάννης Φωνάρης**, από τη Σύρο, (στη μέση) με αξιωματικούς και μέλη του πληρώματος.
Ο πλοίαρχος Φωνάρης συμμετείχε με μικρό ποσοστό στην πλοιοκτησία του ΝΙΚΟΛΑΣ Γ. ΚΟΥΛΟΥΚΟΥΝΤΗΣ, όπως και προπολεμικά σε πλοία του ιδίου Ομίλου.

The Master, **Ioannis Fonaris**, from Syra (pictured in the middle), with officers and members of the crew.
Captain Fonaris was a partner with the R & K Group, in the ownership of a steamer, in the pre-war years.

Ναυπηγήθηκε το 1943
από την Permanente Metals Corporation, Yard No 1.
Αρχικό όνομα **WILLIAM N. BYERS**.
Παραδόθηκε στον Έλληνα πλοιοκτήτη του,
Χαράλαμπο Ν. Πατέρα,
στις **5 Μαρτίου 1947** και νηολογήθηκε στον Πειραιά.
Πλοίαρχος ανέλαβε ο **Ιωάννης Ποντικός**
και Α' Μηχανικός ο **Αριστείδης Σάρδης**.
Τον Απρίλιο του 1964 διαλύθηκε στην Ιταλία.

Built in 1943
by Permanente Metals Corporation, Yard No 1.
Original name **WILLIAM N. BYERS**.
Delivered to her Greek owner, **Charalambos N. Pateras**,
on **5th March, 1947** and registered at Piraeus.
Her Master was **Ioannis Pontikos**
and Chief Engineer **Aristidis Sardis**.
She was scrapped in April, 1964 in Italy.

FOTOFLITE, ASHFORD, KENT, UK

Χαράλαμπος Νικολάου Πατέρας
(1903-1960)

Charalambos N. Pateras
(1903-1960)

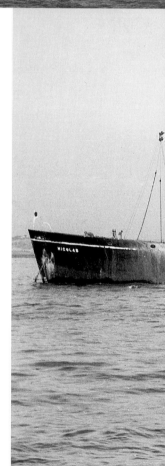

Ο **Νικόλαος Ι. Πατέρας** (Σπανογιάννης), από τους παλαιούς πλοιάρχους των Οινουσσών,
απέκτησε ως συμπλοιοκτήτης το πρώτο του ατμόπλοιο την δεκαετία του 1910.
Μετά το θάνατό του, το 1929, οι υιοί του, **Κώστας**, **Ηλίας** και **Χαράλαμπος**,
συνέχισαν τη ναυτιλιακή δραστηριότητα της οικογένειας.
Κατά τη διάρκεια του Δευτέρου Παγκοσμίου Πολέμου, απώλεσαν το ατμόπλοιο ΛΙΛΗ.

Nicolaos J. Pateras, traditional Master Mariner from Oinoussai,
acquired in partnership his first steamship, before the Great War.
In the interwar years, he was joined in the family business
by his sons **Costas**, **Elias** and **Charalambos**.
During World War II, the N. J. Pateras family lost the steamer LILY.

Ο Πλοίαρχος, Ιωάννης Ποντικός

Captain Ioannis Pontikos

201

Ναυπηγήθηκε το 1943 από την California Shipbuilding Corporation.
Αρχικό όνομα **ALBERT P. RYDER**.
Παραδόθηκε στους Έλληνες πλοιοκτήτες του,
Ναυτική και Εμπορική Εταιρία Μιχαληνός (Κωνσταντίνος Ν. Μίχαλος),
στις **6 Μαρτίου 1947** και νηολογήθηκε στον Πειραιά.
Πλοίαρχος ανέλαβε ο **Ιωάννης Νεαμονίτης**
και Α' Μηχανικός ο **Ανδρέας Γιαρινάκης**.
Τον Μάρτιο του 1966 διαλύθηκε στο Αμβούργο.

A. DUNCAN, GRAVESEND

FOTOFLITE, ASHFORD, KENT, UK

Built in 1943 by California Shipbuilding Corporation.
Original name **ALBERT P. RYDER**.
Delivered to her Greek owners,
Michalinos Maritime & Commercial Co. (Constantinos N. Michalos),
on **6th March, 1947** and registered at Piraeus.
Her Master was **Ioannis Neamonitis**
and Chief Engineer **Andreas Giarinakis**.
She was scrapped in March, 1966 at Hamburg.

Ναυπηγήθηκε το 1943 από την Todd Houston Shipbuilding Corporation.
Αρχικό όνομα **FREDERICK L. DAU**.
Παραδόθηκε στους Έλληνες πλοιοκτήτες του,
Οικογένεια Νικολάου Βλασσόπουλου,
στις **6 Μαρτίου 1947** και νηολογήθηκε στην Ιθάκη.
Πλοίαρχος ανέλαβε ο εκ των πλοιοκτητών **Φίλιππος Βλασσόπουλος**
και Α' Μηχανικός ο **Δημήτρης Γκιουζέπης**.
Το 1964 πουλήθηκε στην Plate Shipping Co. S.A. (P. B. Pandelis Ltd.)
και μετονομάσθηκε **PLATE TRADER**.
Το 1966 πουλήθηκε στην Amfithea Shipping Co. Ltd. (John Livanos & Sons Ltd.),
μετονομάσθηκε **ΑΝΤΩΝΙΑ ΙΙ** και ύψωσε την κυπριακή σημαία.
Τον Απρίλιο του 1969 διαλύθηκε στο Καοσιούνγκ.

Ο Ιωάννης Ν. Βλασσόπουλος,
στο κατάστρωμα του πλοίου, το 1947.

Ioannis N. Vlassopulos,
pictured on board the ship, in 1947.

Ο **Νικόλαος Βλασσόπουλος** από την Ιθάκη,
έδρασε στηΡουμανία ως ναυτικός πράκτορας και μεσίτης.
Οι υιοί του **Θεόδωρος** (1883-1964), **Αντώνης** (1885-1933), **Στυλιανός** (1886-1943),
Σπυρίδωνας (1895-1977), **Ιωάννης** (1899-1968) και **Φίλιππος** (1904-1979),
δραστηριοποιήθηκαν τα χρόνια του μεσοπολέμου στο Λονδίνο,
όπου ίδρυσαν το 1922 το γραφείο Vlassopulos Brothers Ltd.
Από τους παραπάνω οι Αντώνης και Φίλιππος εξελίχθησαν σε πλοιάρχους
ενώ ο Στυλιανός σε μηχανικό.

Built in 1943 by Todd Houston Shipbuilding Corporation.
Original name **FREDERICK L. DAU**.
Delivered to her Greek owners, **Nicolaos Vlassopulos family**,
on **6th March, 1947** and registered at Ithaca.
Her Master was **Filippos Vlassopulos**, one of her owners
and Chief Engineer **Demetrios Giouzepis**.
In 1964 she was sold to Plate Shipping Co. S.A. (P. B. Pandelis Ltd.)
and renamed **PLATE TRADER**.
In 1966 she was sold to Amfithea Shipping Co. Ltd.
(John Livanos & Sons Ltd.), renamed **ANTONIA II**
and raised the flag of Cyprus.
She was scrapped in April, 1969 at Kaohsiung.

Ο Πλοίαρχος,
Φίλιππος Ν.
Βλασσόπουλος

Captain
Philippos N.
Vlassopulos

Η οικογένεια του Στυλιανού Βλασσόπουλου
(εικονίζεται με τη σύζυγό του στην αριστερή σελίδα),
στην μνήμη του οποίου ονομάστηκε το πλοίο. Αριστερά,
ο Νικόλαος και δεξιά ο Γιάννης Σ. Βλασσόπουλος.

The family of Stylianos Vlassopoulos
(pictured with his wife in left page). Nicolaos is pictured
left and Ioannis S. Vlassopoulos, right.

Nicolaos Vlassopulos, from the island of Ithaca,
was a ship's agent and a shipbroker, in Romania.
His sons **Theodoros** (1883-1964), **Antonis** (1885-1933), **Stylianos** (1886-1943),
Spyridonas (1895-1977), **Ioannis** (1899-1968) and **Philippos** (1904-1979),
established in 1922 the shipping office
Vlassopulos Brothers Ltd. in London.
Antonis and Philippos were Master Mariners
and Stylianos, a ship's Engineer.

Ο Πλοίαρχος, Χ. Μαρκόπουλος
και η σύζυγός του, με αξιωματικούς του
πλοίου. Αύγουστος, 1953.

The Master Ch. Markopoulos and his wife,
pictured with officers. August, 1953.

Ο Ιωάννης Σ.
Βλασσόπουλος, αριστερά,
με τον ανθυποπλοίαρχο
Γιάννη Γκίκη.

Ioannis S.
Vlassopulos, left,
with second officer
Ioannis Gikis.

Η καθέλκυση του FREDERICK L. DAU.

The launching of FREDERICK L. DAU.

Ναυπηγήθηκε το 1943
από την California Shipbuilding Corporation.
Αρχικό όνομα **HENRY H. SIBLEY**.
Παραδόθηκε στον Ελληνα πλοιοκτήτη του,
Εκτορα Κ. Δρακούλη, στις **6 Μαρτίου 1947**
και νηολογήθηκε στην Ιθάκη.
Πλοίαρχος ανέλαβε ο **Ιωάννης Δώριζας**
και Α' Μηχανικός ο **Αλέξανδρος Χέλμης**.
Το 1965 πουλήθηκε στην Trade and Transport Inc.
(Ομιλος Καλλιμανόπουλου), μετονομάστηκε **ΠΕΡΙΚΛΗΣ Γ. Κ.**
και ύψωσε την παναμαϊκή σημαία.
Διαλύθηκε τον Οκτώβριο του 1968 στο Χονγκ Κονγκ.

Built in 1943 by California Shipbuilding Corporation.
Original name **HENRY H. SIBLEY**.
Delivered to her Greek owner, **Hector C. Dracoulis**,
on **6th March, 1947** and registered at Ithaca.
Her Master was **Ioannis Dorizas**
and Chief Engineer **Alexandros Chelmis**.
In 1965 she was sold to Trade and Transport Inc.
(Callimanopulos Group), renamed **PERICLES G. C.**
and raised the Panamanian flag.
She was scrapped in October, 1968 in Hong Kong.

Ο πλοιοκτήτης **Εκτωρ Κ. Δρακούλης** (1878-1958),
μέλος παραδοσιακής ναυτικής οικογένειας της Ιθάκης.
Ο Εκτωρ Δρακούλης με τους αδελφούς του **Γεώργιο** και **Περικλή** ασχολήθηκαν με την ναυσιπλοΐα του
Δούναβη στη Ρουμανία, ενώ στις αρχές του 20ου αιώνα εγκαταστάθηκαν στην Ελλάδα και ανέπτυξαν
σημαντική ναυτιλιακή δραστηριότητα. Το 1918 οι αδελφοί Δρακούλη ίδρυσαν στο Λονδίνο το ναυτιλιακό
γραφείο Dracoulis Ltd. Ο Περικλής Δρακούλης, ήταν ο πρώτος πρόεδρος της Ελληνικής Επιτροπι
Ναυτιλιακής Συνεργασίας του Λονδίνου. Κατά τη διάρκεια του Δευτέρου Παγκοσμίου Πολέμου, απώλεσαν
τα πλοία ΝΙΡΙΤΟΣ, ΙΘΑΚΟΣ, ΕΚΑΤΟΝΤΑΡΧΟΣ ΔΡΑΚΟΥΛΗΣ, ΠΟΛΥΚΤΩΡ και ΜΕΝΤΩΡ.

The owner **Hector C. Dracoulis** (1878-1958),
member of one of the traditional shipping families, from the island of Ithaca.
He developed together with his brothers **Georgios** and **Pericles**, shipping concerns in Danube, Romania.
In the early years of the 20th century, they moved to Greece where they achieved substantial
success in the shipping business. In 1918 the Dracoulis brothers, established the Dracoulis Ltd.
shipping office, in London. Pericles Dracoulis, was the first chairman
of the Greek Shipping Co-operation Committee. During World War II, the Dracoulis family lost their
steamers NIRITOS, ITHAKOS, EKATONTARCHOS DRACOULIS, POLYKTOR and MENTOR.

Στη γέφυρα του ΑΣΤΕΡΙΣ.
Ο Πλοίαρχος Ιωάννης Δώριζας, με την κόρη του Μαρία.
Αριστερά η κόρη του Ελένη, στο κατάστρωμα.

The Master, Ioannis Dorizas on the bridge of ASTERIS, with his daughter Maria.
His daughter Eleni, is pictured on the left,
standing on the hatch cover of the vessel.

Ο Πλοίαρχος, Ιωάννης Δώριζας
(1897-1990),
από την Ιθάκη.

Captain Ioannis Dorizas
(1897-1990),
from Ithaca.

Ναυπηγήθηκε το 1943 από την Southeastern Shipbuilding Corporation.
Αρχικό όνομα **WILLIAM L. YANCEY**.
Παραδόθηκε στους Έλληνες πλοιοκτήτες του, **Ευστάθιο Τ. Παξινό, Δημήτριο Δ. Σταθάτο, Δημήτριο Ι. Νεγρεπόντη**
και **Γεράσιμο Δ. Σταθάτο**, στις **6 Μαρτίου 1947** και νηολογήθηκε στην Ιθάκη.
Πλοίαρχος ανέλαβε ο **Σπυρίδων Ταφλαμπάς** και Α' Μηχανικός ο **Σταμάτης Σταμπέλος**.
Το 1965 πουλήθηκε στην εταιρία Gasmar S.A.
και μετονομάστηκε **CEBOLLATI**, υψώνοντας τη σημαία της Ουρουγουάης.
Το 1969 μετονομάστηκε **CEBOLLA**.
Την ίδια χρονιά διαλύθηκε στη Σαγκάη.

Built in 1943 by Southeastern Shipbuilding Corporation.
Original name **WILLIAM L. YANCEY**.
Delivered to her Greek owners, **Efstathios T. Paxinos**, **Demetrios D. Stathatos**, **Demetrios J. Negroponte**
and **Gerassimos D. Stathatos**, on **6th March, 1947** and registered at Ithaca.
Her Master was **Spyridon Taflampas** and Chief Engineer **Stamatis Stampelos**.
In 1965 she was sold to Gasmar S.A.,
renamed **CEBOLLATI** and raised the flag of Uruguay.
In 1969 she was renamed **CEBOLLA**.
She was scrapped in the same year at Shanghai.

FOTOFLITE, ASHFORD, KENT, UK

Ναυπηγήθηκε το 1944 από την J. A. Jones Construction Co, Brunswick Yard. Αρχικό όνομα **GEORGE G. CRAWFORD**.
Παραδόθηκε στους Έλληνες πλοιοκτήτες του, **Ιωάννη Θεοδωρακόπουλο** και **Εμμ. Κουλουκουντή**,
στις **10 Μαρτίου 1947** και νηολογήθηκε στη Ζάκυνθο.
Πλοίαρχος ανέλαβε ο **Ηλίας Πιπέρης** και Α' Μηχανικός ο **Μιχαήλ Κονταξής**.
Το 1957 πουλήθηκε στην Michalinos Maritime & Commercial Co. και μετονομάστηκε **ΚΑΛΛΙΟΠΗ ΜΙΧΑΛΟΣ**.
Τον Ιούνιο του 1971 υπέστη ζημιές από πρόσκρουση σε προκυμαία στο Λομπίτο.
Παρουσίασε διαρροές, ενώ ταξίδευε μερικές ημέρες αργότερα από το Λομπίτο στη Νακάλα
και κατέπλευσε στο Κέιπ Τάουν όπου επισκευάσθηκε προσωρινά.
Διαλύθηκε τον Δεκέμβριο του 1971 στη Βαλέντσια της Ισπανίας.

Built in 1944 by J. A. Jones Construction Co, Brunswick Yard. Original name **GEORGE G. CRAWFORD**.
Delivered to her Greek owners, **Ioannis Theodorakopoulos** and **Emm. Kulukundis**,
on **10th March, 1947** and registered at Zakynthos.
Her Master was **Elias Piperis** and Chief Engineer **Michael Kontaxis**.
In 1957 she was sold to Michalinos Maritime & Commercial Co. and renamed **CALLIOPI MICHALOS**.
In June, 1971 she was damaged by contact with the quay at Lobito.
A few days later it was reported that she was leaking,
whilst on a passage from Lobito to Nacala.
She was brought to Cape Town, where she was temporarily repaired.
In December, 1971 she was scrapped at Valencia, Spain.

Οι πλοιοκτήτες **Εμμανουήλ Η. Κουλουκουντής** (1898-1988), αριστερά και **Ιωάννης Θεοδωρακόπουλος** (1908-1989), από τη Ζάκυνθο, δεξιά, μαζί με δύο από τους πρωτεργάτες στην υπόθεση της απόκτησης των 100 Λίμπερτυς, **Νικόλαο Αβραάμ**, υπουργό Εμπορικής Ναυτιλίας, δεύτερο από αριστερά και **Δημήτρη Κωττάκη**, εκδότη του περιοδικού Ναυτικά Χρονικά. Ο Ιωάννης Θεοδωρακόπουλος εισήλθε στη ναυτιλία με την αγορά του Λίμπερτυ ΜΕΓΑΛΟΧΑΡΗ. Ο Εμμανουήλ Κουλουκουντής, ηγήθηκε της Επιτροπής Ελλήνων Εφοπλιστών Νέας Υόρκης και διαδραμάτισε καθοριστικό ρόλο στην απόκτηση των 100 Λίμπερτυς.

The owners, **Emmanuel E. Kulukundis** (1898-1988), left and **Ioannis Theodorakopoulos** (1908-1989), from the island of Zakynthos, right, pictured with the minister of Merchant Marine, **Nicolaos Avraam** (second from left) and **Demetrios Cottakis**, publisher of the shipping journal Naftika Chronika, who both worked relentlessly for the acquisition of the 100 Liberty vessels. Ioannis Theodorakopoulos, became active in shipping through the purchase of the Liberty MEGALOHARI. Emmanuel Kulukundis, was the chairman of the Greek Shipowners New York Committee and played a decisive role in the efforts for the acquisition of the 100 Liberties.

Το ΜΕΓΑΛΟΧΑΡΗ, καθώς εισέρχεται
στη διώρυγα του Παναμά.

MEGALOHARI, passing
through the Panama canal.

Ο δόκιμος πλοίαρχος
Κώστας Μαρίνος,
βάφοντας την τσιμινιέρα.

Cadet officer
Costas Marinos,
painting the funnel.

Πρωτοχρονιά του 1951, στο ΜΕΓΑΛΟΧΑΡΗ.
Διακρίνονται από αριστερά, οι δόκιμοι πλοίαρχοι
Κώστας Μαρίνος και Α. Κουτλάκης,
στο μέσον, ο Α' Μηχανικός Μ. Κονταξής
και οι δόκιμοι πλοίαρχοι Μ. Πιπέρης και Γ. Νικολαντής.

January 1st, 1951, on the deck of MEGALOHARI.
Pictured from left are, Costas Marinos,
cadet officer, A. Coutlakis, cadet officer,
M. Kontaxis, Chief Engineer, M. Piperis,
cadet officer and G. Nicolandis, cadet officer.

Ναυπηγήθηκε το 1943 από την Oregon Ship Building Corporation.

Αρχικό όνομα **GILBERT STUART**.

Παραδόθηκε στους Έλληνες πλοιοκτήτες του, **Ελληνική Α.Ε.**

(Όμιλος Περικλή Γ. Καλλιμανόπουλου), στις **11 Μαρτίου 1947** και νηολογήθηκε στον Πειραιά.

Πλοίαρχος ανέλαβε ο **Γεράσιμος Πανάς** και Α᾽ Μηχανικός ο **Σωτήριος Στεργίου**.

Τον Ιανουάριο του 1973 πουλήθηκε σε διαλυτές στην Τουρκία.

A. DUNCAN, GRAVESEND

Built in 1943 by Oregon Ship Building Corporation.
Original name **GILBERT STUART**.
Delivered to her Greek owners, **Hellenic Lines S.A.**
(Pericles G. Callimanopulos Group), on **11th March, 1947** and registered at Piraeus.
Her Master was **Gerasimos Panas** and Chief Engineer **Sotirios Stergiou**.
In January, 1973 she was sold to shipbreakers in Turkey.

Ναυπηγήθηκε το 1942 από την California Shipbuilding Corporation.

Αρχικό όνομα **HORACE MANN**.

Παραδόθηκε στον Έλληνα πλοιοκτήτη του, **Μάρκο Π. Νομικό**, στις **11 Μαρτίου 1947** και νηολογήθηκε στον Πειραιά.

Πλοίαρχος ανέλαβε ο **Διονύσιος Μαρκαντωνάτος** και Α' Μηχανικός ο **Γεώργιος Βαζαίος**.

Το 1959 πουλήθηκε στην Olisman Cia. Naviera Ltd.

(Όμιλος Φραγκίστα) και μετονομάστηκε **ΑΡΕΤΗ**, υψώνοντας τη σημαία του Λιβάνου.

Διαλύθηκε τον Ιούνιο του 1970 στη Σαγκάη.

Built in 1942 by California Shipbuilding Corporation.

Original name **HORACE MANN**.

Delivered to her Greek owner, **Markos P. Nomikos**, on **11th March, 1947** and registered at Piraeus.

Her Master was **Dionysios Markantonatos** and Chief Engineer **Georgios Vazeos**.

In 1959 she was sold to Olisman Cia. Naviera Ltd.

(Frangistas Group), renamed **ARETI** and raised the flag of Lebanon.

She was scrapped in June, 1970 at Shanghai.

FOTOFLITE, ASHFORD, KENT, UK

PETROS NOMIKOS

Ο πλοιοκτήτης **Μάρκος Π. Νομικός** (1898-1984), από τη Σαντορίνη,
υιός του εφοπλιστή **Πέτρου Νομικού** (1865-1947).
Σπούδασε Νομικά και δραστηριοποιήθηκε στην οικογενειακή ναυτιλιακή επιχείρηση.
Στη διάρκεια του μεσοπολέμου, η οικογένειά του ίδρυσε την Θηραϊκή Ατμοπλοΐα,
η οποία σημείωσε σημαντική ανάπτυξη υπό τη διεύθυνσή του.
Κατά το Δεύτερο Παγκόσμιο Πολέμο η οικογένεια του Πέτρου Νομικού
απώλεσε τα πλοία ΠΕΤΡΑΚΗΣ ΝΟΜΙΚΟΣ και ΜΕΣΣΑΡΙΑ ΝΟΜΙΚΟΣ.

Shipowner **Markos P. Nomikos** (1898-1984), from the island of Santorini.
He was son of the shipowner **Petros Nomikos** (1865-1947).
He read Law and then he joined the family shipping firm.
During the interwar years, his family founded the Thiraiki Steamship Company,
which achieved substantial growth under his directorship.
During World War II, Petros Nomikos family
lost the vessels PETRAKIS NOMIKOS and MESSARYA NOMIKOS.

Ναυπηγήθηκε το 1943 από την North Carolina Shipbuilding Company.
Αρχικό όνομα **NATHANIEL MACON**.
Παραδόθηκε στους Έλληνες πλοιοκτήτες του, **Οικογένεια Ιωάννη Χανδρή**,
στις **11 Μαρτίου 1947** και νηολογήθηκε στον Πειραιά.
Πλοίαρχος ανέλαβε ο **Σίμος Τριανταφυλάκης** και Α' Μηχανικός ο **Κωνσταντίνος Σπανολιός**.
Στις 17 Αυγούστου 1952 προσάραξε με ομίχλη έξω από τα Νησιά Αλεούτιαν ενώ εκτελούσε το ταξίδι
Μότζι/Βικτόρια. Αποκολλήθηκε και στις 27 Αυγούστου 1952 έφτασε στη Βικτόρια (Βρετ. Κολομβία)
όπου θεωρήθηκε Τεκμαρτή Ολική Απώλεια.
Το 1953 πουλήθηκε στην Seatankers Inc., μετονομάστηκε **WILLIAM V. S. TUBMAN**, ύψωσε τη
σημαία της Λιβερίας και ρυμουλκήθηκε στο Σιάτλ για επισκευές.
Το 1954 επιμηκύνθηκε στο Κούρε, της Ιαπωνίας. Το 1959 πουλήθηκε στην Pen Marine Co.
και μετονομάστηκε **PENN VANGUARD**, υψώνοντας την αμερικανική σημαία.
Το Νοέμβριο του 1969 διαλύθηκε στο Καοσιούνγκ.

Built in 1943 by North Carolina Shipbuilding Company.
Original name **NATHANIEL MACON**.
Delivered to her Greek owners, **Ioannis Chandris Family**,
on **11th March, 1947** and registered at Piraeus.
Her Master was **Simos Triantafilakis** and Chief Engineer **Constantinos Spanolios**.
On 17th August, 1952 whilst on a passage from Moji to Victoria,
she grounded in fog off the Aleutian Islands.
She was refloated and on 27th August, 1952 she arrived at Victoria (British Columbia).
Declared a Constructive Total Loss.
In 1953 she was sold to Seatankers Inc., renamed **WILLIAM V. S. TUBMAN**,
raised the Liberian flag and was towed to Seattle for repairs.
In 1954 she was lenghtened at Kure, Japan. In 1959 she was sold to Pen Marine Co.,
renamed **PENN VANGUARD** and raised the American flag.
She was scrapped in November, 1969 at Kaohsiung.

FOTOFLITE, ASHFORD, KENT, UK

EVGENIA CHANDRIS

Ο Πλοίαρχος, Σίμος Τριανταφυλάκης
Captain Simos Triantafilakis

Ο **Ιωάννης Δ. Χανδρής** (1890-1942), από τη Χίο, εισήλθε στο ναυτιλιακό χώρο εργαζόμενος αρχικά στο ναυλομεσιτικό γραφείο του θείου του Μιχαήλ Πρώιου, ενώ αργότερα ίδρυσε ναυλομεσιτικό γραφείο στον Πειραιά. Στα χρόνια του μεσοπολέμου ανέπτυξε σημαντική εφοπλιστική δραστηριότητα δημιουργώντας ένα μεγάλο για την εποχή στόλο ατμοπλοίων. Κατά το Δεύτερο Παγκόσμιο Πόλεμο, ο οίκος Ι. Χανδρή απώλεσε τα ατμόπλοια ΕΥΓΕΝΙΑ ΧΑΝΔΡΗ, ΣΤΥΛΙΑΝΟΣ ΧΑΝΔΡΗΣ, ΑΝΤΩΝΙΟΣ ΧΑΝΔΡΗΣ, ΜΑΡΙ ΧΑΝΔΡΗΣ, ΤΩΝΗΣ ΧΑΝΔΡΗΣ, ΑΔΕΛΦΟΙ ΧΑΝΔΡΗΣ και ΙΩΑΝΝΗΣ ΧΑΝΔΡΗΣ. Μετά τον πρόωρο θάνατο τού Ιωάννη Χανδρή, η ναυτιλιακή δραστηριότητα της οικογένειας συνεχίστηκε από τη σύζυγό του **Ευγενία** και τους υιούς του **Δημήτρη Χανδρή** (1921-1980), κάτω αριστερά και **Αντώνη Χανδρή** (1924-1984), αριστερά.

Ευγενία Ιωάννου Χανδρή (1892-1975)
Evgenia J. Chandris (1892-1975)

Ioannis D. Chandris (1890-1942), from Chios, founder of the Chandris shipping family, worked as a shipbroker at the office of his uncle Michael Proios. He established later his own firm in Piraeus and during the interwar period he managed to acquire a large number of vessels. In World War II, the J. Chandris family lost the steamers EVGENIA CHANDRIS, STYLIANOS CHANDRIS, ANTONIOS CHANDRIS, MARI CHANDRIS, TONIS CHANDRIS, ADELFOI CHANDRIS and IOANNIS CHANDRIS. After the war, the family business was run by his wife **Evgenia** and his sons **Demetrios Chandris** (1921-1980), left and **Antonios Chandris** (1924-1984), top left.

221

Ναυπηγήθηκε το 1944 από την
California Shipbuilding Corporation.
Αρχικό όνομα **OSCAR UNDERWOOD**.
Παραδόθηκε στους Έλληνες πλοιοκτήτες του, **Ελληνική Α.Ε.**
(Όμιλος Περικλή Γ. Καλλιμανόπουλου),
στις **11 Μαρτίου 1947** και νηολογήθηκε στον Πειραιά.
Πλοίαρχος ανέλαβε ο **Στυλιανός Μαυρής**
και Α' Μηχανικός ο **Βασίλειος Λιάτσος**.
Διαλύθηκε τον Οκτώβριο του 1972 στην Τουρκία.

Built in 1944 by
California Shipbuilding Corporation.
Original name **OSCAR UNDERWOOD**.
Delivered to her Greek owners, **Hellenic Lines S.A.**
(Pericles G. Callimanopulos Group),
on **11th March, 1947** and registered at Piraeus.
Her Master was **Stylianos Mavris**
and Chief Engineer **Vassilios Liatsos**.
She was scrapped in October, 1972 in Turkey.

A. DUNCAN, GRAVESEND

Ναυπηγήθηκε το 1944 από την St. Johns River Shipbuilding Company. Αρχικό όνομα **FREDERICK TRESCA**.
Παραδόθηκε στους Έλληνες πλοιοκτήτες του, **Οικογένεια Γεωργίου Νικολάου**,
στις **13 Μαρτίου 1947** και νηολογήθηκε στον Πειραιά.
Πλοίαρχος ανέλαβε ο **Ηλίας Βαρδαβάς** και Α' Μηχανικός ο **Διονύσιος Κορυζής**.
Στις 22 Μαΐου 1951 εγκαταλείφθηκε φλεγόμενο στην Ερυθρά Θάλασσα, ενώ εκτελούσε το ταξίδι
Ντάιρεν/Τεργέστη μεταφέροντας καλαμπόκι. Ρυμουλκήθηκε στο Σουέζ και θεωρήθηκε Τεκμαρτή Ολική Απώλεια.
Ακολούθως, πουλήθηκε στον Όμιλο Achille Lauro και ρυμουλκήθηκε στην Τεργέστη όπου επισκευάστηκε.
Μετονομάστηκε **GABBIANO** και ύψωσε την ιταλική σημαία. Τον Ιανουάριο του 1970 διαλύθηκε στην Σπέτζια.

Built in 1944 by St. Johns River Shipbuilding Company. Original name **FREDERICK TRESCA**.
Delivered to her Greek owners, **Georgios Nicolaou family**, on **13th March, 1947** and registered at Piraeus.
Her Master was **Elias Vardavas** and Chief Engineer **Dionysios Koryzis**.
On 22nd May, 1951 whilst on a passage from Dairen to Trieste and carrying maize,
she was abandoned in the Red Sea due to fire. She was towed to Suez where she was declared a Constructive
Total Loss and was sold to the Achille Lauro Group and towed to Trieste, where she was repaired.
She was then renamed **GABBIANO** and raised the Italian flag. She was scrapped in January, 1970 at Spezia.

Ο Νικόλαος Νικολάου,
με τη μητέρα του
Ζωγραφιά και δύο
από τις αδελφές του,
Ουρανία (αριστερά)
και Ελένη (δεξιά).

Nicolaos Nicolaou,
with his mother
Zografia and two
of his sisters Ourania
(left) and Eleni (right).

Ο **Νικόλαος Γεωργίου Νικολάου** (1908-1992), από την Κάσσο,
συνέχισε τη ναυτιλιακή δραστηριότητα της οικογένειας μετά τον
πρόωρο θάνατο του πατέρα του, πλοιάρχου και εφοπλιστή
Γεωργίου Νικολάου το 1925, με τη συμμετοχή της μητέρας του
Ζωγραφιάς (1880-1967) και των αδελφών του
Ελένης, **Μαρίας**, **Ουρανίας** και **Βέργως**.
Στη διάρκεια του μεσοπολέμου ίδρυσε στο Λονδίνο το γραφείο
George Nicolaou Ltd., το οποίο σημείωσε σημαντική
δραστηριότητα συμπεριλαμβανομένης της ναυπήγησης δύο πλοίων
στα βρετανικά ναυπηγεία στα τέλη των δεκαετιών του 1920 και
1930. Κατά τη διάρκεια του Δευτέρου Παγκοσμίου Πολέμου,
απώλεσαν τα πλοία ΑΓΙΟΣ ΓΕΩΡΓΙΟΣ IV, ΝΙΚΟΛΑΟΥ
ΟΥΡΑΝΙΑ, ΝΙΚΟΛΑΟΥ ΖΩΓΡΑΦΙΑ και ΝΙΚΟΛΑΟΥ ΓΕΩΡΓΙΟΣ.

Nicolaos G. Nicolaou (1908-1992), from Kassos, took over the helm
of the family shipping business following the sudden death of his
father, captain George Nicolaou, in 1925.
His mother **Zografia** (1880-1967) and his sisters
Eleni, **Maria**, **Ourania** and **Vergo** were active
partners in the family business.
During the interwar years, they established in London the office
George Nicolaou Ltd. and acquired a number of ships including a
couple of newbuildings built in British yards during the late twenties
and late thirties respectively.
During World War II, they lost their steamers
AGIOS GEORGIOS IV, NICOLAOU OURANIA,
NICOLAOU ZOGRAFIA and NICOLAOU GEORGIOS.

Crew Brought Here From Stricken Ship

The Greek freighter Ioannis G. Kulukundis, grounded at Pt. Arguello "so softly that it did not awaken sleeping crewmen," Basil Foundoukis, cadet officer aboard the stricken vessel, and 21 crewmen were brought to the immigration offices at Terminal Island yesterday afternoon and told this story of the wreck:

The skipper, George Mastrominas, and Antonio Vidalis, second mate, were on the bridge at the time, the cadet said, "but the fog was so thick that they could not see three yards ahead."

Foundoukis, who signed aboard at Norfolk, Va., was reading in his bunk when the craft's stern grounded early Monday on a sandbar.

"The feeling was not unlike that when a ship drops off a big swell," he said. Many of the crew knew nothing of the trouble until they were notified by officers.

Foundoukis and the other crewmen were ordered to abandon the ship several hours after the crash.

The crewmen of the Greek freighter were joined by 10 more today as the coast guard cutter Morris brought them to San Pedro. The Perseus landed the first group yesterday.

Only the skipper, three officers and one seaman remained aboard to assist in the last-minute salvage efforts. The ship is reported breaking up.

Four commercial tugs — the Kanak, the Los Angeles, the Long Beach and the Relief—all out of San Pedro, are assisting in the salvage operations.

The crewmen landed here will be contacted by the Mar-T-Rade Corp., New York agents, for other berths, Foundoukis said. None of the crew, including the 10 who arrived today and the five remaining aboard in the wreck.

After being processed by immigration authorities the men were brought to the Front st. landing and released.

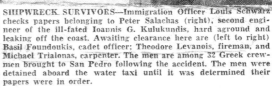

SHIPWRECK SURVIVORS—Immigration Officer Louis Schwarz checks papers belonging to Peter Salachas (right), second engineer of the ill-fated Ioannis G. Kulukundis, hard aground and leaking off the coast. Awaiting clearance here are (left to right) Basil Foundoukis, cadet officer; Theodore Levanois, fireman, and Michael Trialonas, carpenter. The men are among 32 Greek crewmen brought to San Pedro following the accident. The men were detained aboard the water taxi until it was determined their papers were in order.

HELD FAST—The Greek freighter Ioannis G. Kulukundis, former Liberty ship, was aground yesterday five miles north of Point Arguello after she struck sand bar about 300 yards offshore in heavy fog. The bow was grounded, but stern kept clear.

Story on Page 1, Part 1   Times photo

Ναυπηγήθηκε το 1944 από την Delta Shipbuilding Company.
Αρχικό όνομα **EDWIN A. STEVENS**.
Παραδόθηκε στους Ελληνες πλοιοκτήτες του, **Ομιλο Ρεθύμνη - Κουλουκουντή**,
στις **14 Μαρτίου 1947** και νηολογήθηκε στη Σύρο.
Πλοίαρχος ανέλαβε ο **Μάρκος Μαρκουλής**
και Α' Μηχανικός ο **Δημήτριος Ζαννός**.
Στις 11 Ιουλίου 1949, ενώ έπλεε από το Βανκούβερ στο Κέιπ Τάουν
φορτωμένο με σιτάρι,
εξώκειλε εξαιτίας ομίχλης στο Πόιντ Αργκουέλλο της Καλιφόρνια.
Κόπηκε στα δύο και θεωρήθηκε Ολική Απώλεια.

Built in 1944 by Delta Shipbuilding Company.
Original name **EDWIN A. STEVENS**.
Delivered to her Greek owners, **Rethymnis & Kulukundis Ltd.**,
on **14th March, 1947** and registered at Syros.
Her Master was **Markos Markoulis**
and Chief Engineer **Demetrios Zannos**.
On 11th July, 1949 whilst on a passage from Vancouver to Cape Town
with a cargo of wheat,
she stranded in fog at Point Arguello, California.
She broke in two and was declared a Total Loss.

Ο Πλοίαρχος, Μάρκος Μαρκουλής
(1902-1973), από την Κάσσο.

Captain Markos Markoulis
(1902-1973), from Kassos.

Ο δόκιμος πλοίαρχος
Γιάννης Μ. Διακάκης

Cadet officer
Ioannis M. Diakakis

Ναυπηγήθηκε το 1944 από την California Shipbuilding Corporation.
Αρχικό όνομα **RAYMOND T. BAKER**.
Παραδόθηκε στους Ελληνες πλοιοκτήτες του, **Οικογένεια Γεωργίου Νικολάου**,
στις **17 Μαρτίου 1947** και νηολογήθηκε στον Πειραιά.
Πλοίαρχος ανέλαβε ο **Κωνσταντίνος Βουμβλινόπουλος**
και Α' Μηχανικός ο **Γεώργιος Καπανίρης**.
Το 1960 πουλήθηκε στην Ionic Steamship Co. Ltd. (Ομιλος Πανταλέων)
και μετονομάστηκε **ΔΕΣΠΩ**.
Διαλύθηκε το Μάιο του 1971 στην Κωνσταντινούπολη.

Built in 1944 by California Shipbuilding Corporation.
Original name **RAYMOND T. BAKER**.
Delivered to her Greek owners, **Georgios Nicolaou family**,
on **17th March, 1947** and registered at Piraeus.
Her Master was **Constantinos Voumvlinopoulos**
and Chief Engineer **Georgios Kapaniris**.
In 1960 she was sold to Ionic Steamship Co. Ltd. (Pantaleon Group)
and renamed **DESPO**.
She was scrapped in May, 1971 at Constantinople.

Ο Πλοίαρχος,
Κωνσταντίνος Βουμβλινόπουλος
(1894-1972), από την Κάσσο.

Captain
Constantinos Voumvlinopoulos
(1894-1972), from Kassos.

FOTOFLITE, ASHFORD, KENT, UK

Ναυπηγήθηκε το 1943 από την Oregon Ship Building Corporation.
Αρχικό όνομα **GEORGE H. HIMES**.
Παραδόθηκε στον Έλληνα πλοιοκτήτη του, **Θωμά Ν. Επιφανιάδη**,
στις **24 Μαρτίου 1947** και νηολογήθηκε στον Πειραιά.
Πλοίαρχος ανέλαβε ο **Θεόδωρος Καλλιανέσης**
και Α' Μηχανικός ο **Δημήτριος Αριανίτης**.
Το 1956 μετονομάστηκε **ΝΙΚΟΛΑΟΣ ΕΠΙΦΑΝΙΑΔΗΣ**.
Στις 15 Μαρτίου 1961, ενώ φόρτωνε ανθρακίτη στο λιμάνι της Οδησσού,
εκδηλώθηκε πυρκαγιά μετά από έκρηξη
με αποτέλεσμα την προσάραξη και εγκατάλειψή του.
Τον Οκτώβριο του 1961, αποκολλήθηκε,
αλλά κατασχέθηκε από τις σοβιετικές αρχές για ζημιές που προκάλεσε
στις λιμενικές εγκαταστάσεις της Οδησσού.
Διαλύθηκε τον Σεπτέμβριο του 1964 στην Σοβιετική Ένωση.

Built in 1943 by Oregon Ship Building Corporation.
Original name **GEORGE H. HIMES**.
Delivered to her Greek owner, **Thomas N. Epiphaniades**,
on **24th March, 1947** and registered at Piraeus.
Her Master was **Theodoros Kallianessis**
and Chief Engineer **Demetrios Arianitis**.
In 1956 she was renamed **NICOLAOS EPIPHANIADES**.
On 15th March, 1961 whilst loading anthracite in the port of Odessa,
she was damaged by fire caused by explosion.
She grounded and was abandoned.
In October, 1961 she was refloated,
but seized by the Soviet authorities because of the damages
allegedly caused to the port installations of Odessa.
She was scrapped in September, 1964 in the Soviet Union.

Ο πλοιοκτήτης **Ευάγγελος Πέτρου Νομικός**
(1902-1985), από τη Σαντορίνη,
με τη σύζυγό του **Λούλα** (1913-1976).
Προπολεμικά δραστηριοποιήθηκε
με τον αδελφό του Μάρκο
στην οικογενειακή ναυτιλιακή επιχείρηση
και μεταπολεμικά
έδρασε ανεξάρτητα.

Shipowner **Evangelos P. Nomikos**
(1902-1985), from Santorini
with his wife **Loula** (1913-1976).
In the pre-war years,
he and his brother Markos
where actively engaged
in the family shipping business.
After the war he operated independently.

A. DUNCAN, GRAVESEND

Ναυπηγήθηκε το 1943 από την Permanente Metals Corporation, Yard No 2.
Αρχικό όνομα **MARY WALKER**.
Παραδόθηκε στον Έλληνα πλοιοκτήτη του,
Ευάγγελο Π. Νομικό, στις **24 Μαρτίου 1947**
και νηολογήθηκε στον Πειραιά.
Πλοίαρχος ανέλαβε ο **Αλέξανδρος Λαιμός**
και Α' Μηχανικός ο **Γεώργιος Αγριανίκης**.
Το 1959 πουλήθηκε στην εταιρία Southern Steamships
Ltd., μετονομάστηκε **PRESIDENT HOFFMAN**
και ύψωσε τη σημαία της Νοτίου Αφρικής.
Τον Οκτώβριο του 1963 διαλύθηκε στην Οσάκα.

FOTOFLITE, ASHFORD, KENT, UK

Built in 1943 by Permanente Metals
Corporation, Yard No 2.
Original name **MARY WALKER**.
Delivered to her Greek owner,
Evangelos P. Nomikos,
on **24th March, 1947**
and registered at Piraeus.
Her Master was **Alexandros Lemos**
and Chief Engineer **Georgios Agrianikis**.
In 1959 she was sold to
Southern Steamships Ltd.,
renamed **PRESIDENT HOFFMAN**
and raised the flag of South Africa.
She was scrapped in October,
1963 at Osaka.

233

Ναυπηγήθηκε το 1943 από την Todd Houston Shipbuilding Corporation.

Αρχικό όνομα **E. A. PEDEN**.

Παραδόθηκε στους Έλληνες πλοιοκτήτες του, **Γεώργιο** και **Εμμανουήλ Π. Χατζηλία**
και **Αντώνιο Μάνθο**, στις **27 Μαρτίου 1947** και νηολογήθηκε στον Πειραιά.

Πλοίαρχος ανέλαβε ο **Παύλος Πάσσαρης** και Α΄ Μηχανικός ο **Αντώνιος Ζούλιας**.

Το 1949 πουλήθηκε στην εταιρία Los-Pezas και μετονομάστηκε **ΜΑΡΙΑ ΛΩΣ**.

Το 1955 πουλήθηκε στην West Africa Steamship Co.
και μετονομάστηκε **ΜΑΡΙΕΛ**, υψώνοντας τη σημαία της Λιβερίας.

Το 1957 πουλήθηκε στην West Africa Navigation Ltd. και μετονομάστηκε **NORTHPORT**.

Το 1966 πουλήθηκε στη Sagittarius Shipping Corporation
και μετονομάστηκε **SAGITTARIUS**. Στις 25 Σεπτεμβρίου 1969, ενώ εκτελούσε ταξίδι
Ροζάριο/Ραβέννα, βυθίστηκε έξω από το Μπουένος Άϊρες,
ύστερα από σύγκρουση με το πλοίο SCHWARZBURG.

Τον Οκτώβριο του 1969 ανελκύσθηκε και ρυμουλκήθηκε στο Μπουένος Άϊρες.

Τον Δεκέμβριο του 1969 πουλήθηκε για διάλυση στην Καμπάνα της Αργεντινής.

FOTOFLITE, ASHFORD, KENT, UK

Built in 1943 at Todd Houston Shipbuilding Corporation.

Original name **E. A. PEDEN**.

Delivered to her Greek owners, **Georgios** and **Emmanouel P. Hadjilias**
and **Antonios Manthos**, on **27th March, 1947** and registered at Piraeus.

Her Master was **Pavlos Passaris** and Chief Engineer **Antonios Zoulias.**

In 1949 she was sold to Los-Pezas company and renamed **MARIA LOS**.

In 1955 she was sold to West Africa Steamship Co.,
renamed **MARIEL** and raised the Liberian flag.

In 1957 she was sold to West Africa Navigation Ltd. and renamed **NORTHPORT**.

In 1966 she was sold to Sagittarius Shipping Corporation and renamed **SAGITTARIUS**.

On 25th September, 1969 whilst on a passage from Rosario to Ravenna,
she sank off Buenos Aires, following her collision with the ship SCHWARZBURG.

In October, 1969 she was refloated and towed to Buenos Aires.

In December, 1969 she was sold for scrap at Campana, Argentina.

Ο πλοίαρχος **Παύλος Εμμ. Χατζηλίας** (1869-1943), από τις παλιές ναυτικές οικογένειες της Κάσσου, εξελίχθηκε σε εφοπλιστή στις αρχές του αιώνα, συνεργαζόμενος με συγγενείς του.

Στη διάρκεια του μεσοπολέμου, απέκτησε ιδιόκτητα σκάφη, ενώ η οικογένεια επέκτεινε την επιχειρηματική της δραστηριότητα και στον χώρο της κλωστοϋφαντουργίας με τον οποίο ασχολήθηκε, κυρίως, ο υιός του **Εμμανουήλ** (δεξιά). Ο άλλος υιός του, **Γεώργιος** (αριστερά) εξελίχθηκε σε πλοίαρχο και πλοιάρχευσε οικογενειακά πλοία. Στη διάρκεια του Πολέμου, η οικογένεια Παύλου Χατζηλία, έχασε τα δύο της ατμόπλοια, ΙΟΥΛΙΑ και ΙΑ. Αξίζει να σημειωθεί ότι ο Γεώργιος Π. Χατζηλίας ήταν πλοίαρχος του ΙΑ, όταν αυτό τορπιλλίστηκε. Ο συμπλοιοκτήτης, **Αντώνης Δ. Μάνθος**, είχε δραστηριοποιηθεί προπολεμικά με την οικογένεια του **Ηλία Χατζηλία**, αδελφό του Παύλου Χατζηλία. Στη διάρκεια του πολέμου, απώλεσαν το ατμόπλοιο ΖΕΥΣ.

Captain **Pavlos Emm. Hadjilias** (1869-1943), from an old family of mariners from the island of Kassos, acquired his first steamers in partnership with some of his relatives. In the interwar years, he purchased his own vessels, whilst his family, expanded its business activities into the field of the textile industry, where his son **Emmanuel** (top right), was actively involved. His other son, **Georgios** (top left), became a Master Mariner.
During World War II, the P. Hadjilias family, lost both their steamers JULIA and IA.
It is worth mentioning, that Georgios Hadjilias, was the Master of IA, when she was torpedoed and sank.
Co-owner **Antonios D. Manthos**, had been involved in shipping in the pre-war years, in partnership with **Elias Hadjilias**, brother of Pavlos Hadjilias.
During World War II, they lost the steamer ZEUS.

U. S. NATIONAL ARCHIVES

Αξιωματικοί και μέλη του πληρώματος, του ΕΠΙΔΑΥΡΟΣ, με τον πλοίαρχο Μανώλη Καβουσανάκη.

Officers and crew of the EPIDAVROS, with the Master, Manolis Kavoussanakis.

Ο υποπλοίαρχος Μανώλης Καβουσανάκης

Chief officer, Manolis Kavoussanakis

FOTOFLITE, ASHFORD, KENT, UK

Ναυπηγήθηκε το 1943 από την California Shipbuilding Corporation. Αρχικό όνομα **FINLEY PETER DUNNE**.
Παραδόθηκε στους Έλληνες πλοιοκτήτες του, **Όμιλο Ρεθύμνη-Κουλουκουντή**,
στις **31 Μαρτίου 1947** και νηολογήθηκε στον Πειραιά.
Πλοίαρχος ανέλαβε ο **Γεώργιος Μαστρομηνάς** και Α' Μηχανικός ο **Γεώργιος Μιχάλοβιτς**.
Το 1950 πουλήθηκε στην Southern Steamship Company Ltd. (Όμιλος Γ. Κουμάνταρου) και μετονομάστηκε **ΕΥΡΩΤΑΣ**.
Το 1953 πουλήθηκε στην Commercial and Maritime Enterprises Epidavros S.A. (Όμιλος Γ. Κουμάνταρου) και μετονομάστηκε
ΕΠΙΔΑΥΡΟΣ. Το 1965 πουλήθηκε στην Gemini Navigation Corporation Inc. και μετονομάστηκε **IONIC BAY**.
Τον Απρίλιο του 1967 διαλύθηκε στο Τσουνέισι.

Built in 1943 by California Shipbuilding Corporation. Original name **FINLEY PETER DUNNE**.
Delivered to her Greek owners, **Rethymnis & Kulukundis Ltd.**, on **31st March, 1947** and registered at Piraeus.
Her Master was **Georgios Mastrominas** and Chief Engineer **Georgios Michalovich**.
In 1950 she was sold to Southern Steamship Company Ltd. (G. Coumantaros Group) and renamed **EVROTAS**.
In 1953 she was sold to Commercial and Maritime Enterprises Epidavros S.A., (G. Coumantaros Group) and renamed
EPIDAVROS. In 1965 she was sold to Gemini Navigation Corporation Inc. and renamed **IONIC BAY**.
In April, 1967 she was scrapped at Tsuneishi.

Ο πλοίαρχος του ΒΑΣΙΛΕΙΟΣ Η. ΚΟΥΛΟΥΚΟΥΝΤΗΣ, Γεώργιος Μαστρομηνάς.
Captain of VASSILIOS E. KULUKUNDIS, Georgios Mastrominas.

Ο λοστρόμος
Γιώργης Κουκουλάς
από την Τήνο.

Bosun George
Koukoulas,
from the island
of Tinos.

Οι Μανώλης Παντελής ή Φοράδης (αριστερά)
και Νίκος Φιλάρετος, στο κατάστρωμα του
ΒΑΣΙΛΕΙΟΣ Η. ΚΟΥΛΟΥΚΟΥΝΤΗΣ.

Manolis Pandelis (left) and Nicos Filaretos,
on the deck of VASSILIOS E. KULUKUNDIS.

Ναυπηγήθηκε το 1944 από την California Shipbuilding Corporation.
Αρχικό όνομα **IDA M. TARBELL**.
Παραδόθηκε στους Έλληνες πλοιοκτήτες του,
Δημήτριο, Αλκιμο και **Πάνο Γ. Γράτσο**,
στις **2 Απριλίου 1947** και νολογήθηκε στην Ιθάκη.
Πλοίαρχος ανέλαβε ο **Πάνος Καλλίνικος**
και Α᾽ Μηχανικός ο **Δημήτριος Κριεζής**.
Διαλύθηκε τον Ιανουάριο του 1968 στο Χιράο της Ιαπωνίας.

Built in 1944 by California Shipbuilding Corporation.
Original name **IDA M. TARBELL**.
Delivered to her Greek owners,
Demetrios, Alkimos and **Panos G. Gratsos**,
on **2nd April, 1947** and registered at Ithaca.
Her Master was **Panos Callinicos**
and Chief Engineer **Demetrios Kriezis**.
She was scrapped in January, 1968 at Hirao, Japan.

Ναυπηγήθηκε το 1943 από την Oregon Ship Building Corporation. Αρχικό όνομα **JOHN F. MYERS**. Παραδόθηκε στους Έλληνες πλοιοκτήτες του, **Οικογένεια Γ. Σιγάλα**, στις **11 Απριλίου 1947** και νηολογήθηκε στον Πειραιά. Πλοίαρχος **Ιωάννης Ζήζος** και Α' Μηχανικός **Νικόλαος Ποπολάκης**. Το 1965 πουλήθηκε στην A. Nikiforos & Others και μετονομάστηκε **ΚΑΠΤΑΜΙΧΑΛΗΣ**. Διαλύθηκε στο Μπιλμπάο, τον Αύγουστο του 1969.

Built in 1943 by Oregon Ship Building Corporation. Original name **JOHN F. MYERS**. Delivered to her Greek owners, **G. Sigalas family**, on **11th April, 1947** and registered at Piraeus. Her Master was **Ioannis Zezos** and Chief Engineer **Nicolaos Popolakis**. In 1965 she was sold to A. Nikiforos & Others and renamed **CAPTAMIHALIS**. She was scrapped in August, 1969 at Bilbao.

FOTOFLITE, ASHFORD, KENT, UK

Καδιώ Γεωργίου Σιγάλα
Kadio G. Sigala

Ο ναυτικός οίκος **Σιγάλα** από τη Σαντορίνη,
δημιουργήθηκε από τον πλοίαρχο
Γεώργιο Α. Σιγάλα (1867-1949), το έργο του
οποίου βοήθησαν αποφασιστικά η σύζυγός του
Καδιώ και αργότερα, κατά την περίοδο του
μεσοπολέμου, οι υιοί τους πλοίαρχοι
Αλέξανδρος και **Νομικός Γ. Σιγάλας**.
Κατά τη διάρκεια του Δευτέρου Παγκοσμίου
Πολέμου η οικογένεια Σιγάλα απώλεσε τα
πλοία ΤΕΤΗ, ΚΑΔΙΩ και ΠΟΠΗ.

The **Sigalas** shipping firm from Santorini, was
founded by Master Mariner **Georgios A.
Sigalas** (1867-1949), with the support of his
wife **Kadio**. In the interwar period, their sons
Alexandros and **Nomikos G. Sigalas**,
both Master Mariners, joined
the family business. During World War II,
they lost their steamers TETI, KADIO
and POPI.

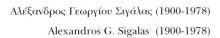

Αλέξανδρος Γεωργίου Σιγάλας (1900-1978)
Alexandros G. Sigalas (1900-1978)

FOTOFLITE, ASHFORD, KENT, UK

Οι συριανοκασσιώτες δημιουργοί του επιχειρηματικού ομίλου Rethymnis & Kulukundis Ltd., από τους μεγαλύτερους της ελληνικής ναυτιλίας. Διακρίνονται όρθιοι από αριστερά οι **Ιωάννης Η. Κουλουκουντής** (1904-1980), **Νικόλαος Η. Κουλουκουντής** (1895-1988), **Γιώργος Η. Κουλουκουντής** (1892-1978) και **Μιχάλης Η. Κουλουκουντής** (1906-1991). Καθιστοί από αριστερά οι **Μανώλης Η. Κουλουκουντής** (1898-1988), **Μηνάς Β. Ρεθύμνης** (1892-1977) και **Βασίλειος Εμ. Μαυρολέων** (1901-1978). Το R & K ιδρύθηκε το 1921, στο Λονδίνο, από τους **Μανώλη Κουλουκουντή** και **Μηνά Ρεθύμνη,** οι οποίοι πλαισιώθηκαν στην πορεία από τους άλλους τέσσερις αδελφούς Κουλουκουντή καθώς και τον εξάδελφό τους **Βασίλειο Μαυρολέοντα.** Οι Γεώργιος και Νικόλαος Κουλουκουντής καθώς και ο Μηνάς Ρεθύμνης υπήρξαν πλοίαρχοι του Εμπορικού Ναυτικού, ακολουθώντας την παράδοση των οικογενειών τους. Ο Μανώλης, ο οποίος βρέθηκε από την αρχή του πολέμου στη Νέα Υόρκη, αναδείχθη σε ηγετική προσωπικότητα του ελληνικού εφοπλισμού, επικεφαλής της Επιτροπής Ελλήνων Εφοπλιστών Νέας Υόρκης και υπήρξε ο πρωτεργάτης του σχεδίου για την απόκτηση των 100 Λίμπερτυς. Τις παραμονές του Δευτέρου Παγκοσμίου Πολέμου ο όμιλος R & K διαχειριζόταν, περίπου, 50 πλοία, ιδιόκτητα και πελατών του, από τα οποία απωλέσθηκαν τα ΑΤΛΑΝΤΙΚΟΣ, ΕΛΕΝΑ Ρ., ΘΑΛΕΙΑ, ΘΕΜΩΝΗ, ΜΑΟΥΝΤ ΑΘΩΣ, ΜΑΟΥΝΤ ΚΑΣΣΙΟΝ, ΜΑΟΥΝΤ ΚΙΘΑΙΡΩΝ, ΜΑΟΥΝΤ ΛΥΚΑΒΗΤΤΟΣ, ΜΑΟΥΝΤ ΜΥΚΑΛΗ, ΜΑΟΥΝΤ ΜΥΡΤΩ, ΜΑΟΥΝΤ ΟΛΥΜΠΟΣ, ΜΑΟΥΝΤ ΠΑΡΝΗΣ, ΜΑΟΥΝΤ ΠΗΛΙΟΝ, ΜΑΟΥΝΤ ΠΙΝΔΟΣ, ΜΑΟΥΝΤ ΤΑΥΡΟΣ, ΜΑΟΥΝΤ ΤΑΥΓΕΤΟΣ, ΜΑΟΥΝΤ ΥΜΗΤΤΟΣ, ΜΑΟΥΝΤ ΧΕΛΜΟΣ, ΝΕΛΛΗ, ΝΙΤΣΑ, Ν. Μ. ΕΜΠΕΙΡΙΚΟΣ, ΠΑΝΤΙΑΣ, ΣΑΜΙΡ, ΣΑΜΟΣ, ΣΑΝ ΓΚΑΜΠΡΙΕΛ.

The leading team of the Rethymnis & Kulukundis Ltd., one of the largest and most famous Greek shipping establishments. Standing from left are **Ioannis E. Kulukundis** (1904-1980), **Nicolaos E. Kulukundis** (1895-1988), **Georgios E. Kulukundis** (1892-1978) and **Michael E. Kulukundis** (1906-1991). Sitting from left are **Emmanuel E. Kulukundis** (1898-1988), **Minas V. Rethymnis** (1892-1977) and **Vassilios Em. Mavroleon** (1901-1978). They were all from Kassos, but lived in Syros. R & K was founded in 1921, in London, by **Emmanuel Kulukundis** and **Minas Rethymnis**. They were soon joined by the other four **Kulukundis** brothers and their cousin, **Vassilios Mavroleon**. Georgios Kulukundis, Nicolaos Kulukundis and Minas Rethymnis, followed the tradition of their families and became Master Mariners. In the interwar years the R & K office, acted as an agent of a large number of Greek owned vessels. On the eve of World War II, the R & K office, operated almost 50 ships, both owned and under management, out of which ATLANTICOS, ELENA R., THALIA, THEMONI, MOUNT ATHOS, MOUNT KASSION, MOUNT KITHERON, MOUNT LYCABETUS, MOUNT MYKALE, MOUNT MYRTO, MOUNT OLYMPUS, MOUNT PARNES, MOUNT PELION, MOUNT PINDUS, MOUNT TAURUS, MOUNT TAYGETTOS, MOUNT HYMETTUS, MOUNT CHELMOS, NELLI, NITSA, N. M. EMBIRICOS, PANDIAS, SAMIR, SAMOS, SAN GABRIEL were lost. From the beggining of the war, Emmanuel lived in New York where he was the key person in the establishment of the Greek Shipowners New York Committee and the pioneer of the plan for the acquisition of the 100 Liberty vessels.

Ναυπηγήθηκε το 1943 από την California Shipbuilding Corporation. Αρχικό όνομα **JAMES M. GOODHUE**.
Παραδόθηκε στους Έλληνες πλοιοκτήτες του, **Όμιλο Ρεθύμνη-Κουλουκουντή**,
στις **17 Απριλίου 1947** και νηολογήθηκε στον Πειραιά.
Πλοίαρχος ανέλαβε ο **Μιχαήλ Κανάκης** και Α' Μηχανικός ο **Ευστάθιος Ράπτης**.
Το 1961 μετονομάστηκε **ΠΥΘΕΑΣ**. Στις 2 Ιανουαρίου 1966, ενώ έπλεε από το Γκότσεκ της Τουρκίας, στη Βαλτιμόρη,
προσάραξε στον Άγιο Μηνά της Ρόδου, αφού παρουσίασε διαρροές λόγω κακοκαιρίας.
Εγκαταλείφθηκε ως Ολική Απώλεια.

Built in 1943 by California Shipbuilding Corporation. Original name **JAMES M. GOODHUE**.
Delivered to her Greek owners, **Rethymnis & Kulukundis Ltd.**,
on **17th April, 1947** and registered at Piraeus.
Her Master was **Michael Kanakis** and Chief Engineer **Efstathios Raptis**.
In 1961 she was renamed **PYTHEAS**. On 2nd January, 1966 whilst on a passage from Gocek, Turkey to Baltimore,
she stranded at Aghios Minas, Rhodes after developing leaks due to heavy weather.
She was abandoned and declared a Total Loss.

Το όνομα δόθηκε στο πλοίο για να τιμηθεί η μνήμη του πλοιάρχου Αθανασίου Φαρμακίδη, ο οποίος χάθηκε όταν το υπό τη διαχείριση του R&K πλοίο του ΜΑΟΥΝΤ ΜΥΚΑΛΗ τορπιλλίστηκε στις 23 Ιανουαρίου 1943.

The vessel was named in memory of captain Athanassios Farmakides, Master of the s/s MOUNT MYKALE, under the management of R&K, who lost his life when his vessel was torpedoed on 23rd January, 1943.

243

Με τη σειρά παράδοσής τους σε Έλληνες πλοιοκτήτες

By order of delivery to Greek shipowners

Ναυπηγήθηκε το 1945 από την Consolidated Steel Corporation.
Αρχικό όνομα **COASTAL MONITOR**.
Παραδόθηκε στον Έλληνα πλοιοκτήτη του,
Μιχαήλ Ανδρέα Εμπειρίκο,
στις **2 Ιανουαρίου 1947**
και νηολογήθηκε στην Άνδρο.

Built in 1945 by Consolidated Steel Corporation.
Original name **COASTAL MONITOR**.
Delivered to her Greek owner,
Michael A. Embiricos,
on **2nd January, 1947**
and registered at Andros.

Μιχαήλ Ανδρέα Εμπειρίκος
Michael A. Embiricos

FOTOFLITE, ASHFORD, KENT, UK

Ναυπηγήθηκε το 1945 από την Consolidated Steel Corporation.
Αρχικό όνομα **COASTAL SKIPPER**.
Παραδόθηκε στον Έλληνα πλοιοκτήτη του,
Μαρή Ανδρέα Εμπειρίκο,
στις **21 Φεβρουρίου 1947**
και νηολογήθηκε στην Άνδρο.

Built in 1945 by Consolidated Steel Corporation.
Original name **COASTAL SKIPPER**.
Delivered to her Greek owner,
Maris A. Embiricos,
on **21st February, 1947**
and registered at Andros.

Οι πλοιοκτήτες **Μιχαήλ Α. Εμπειρίκος** (1870-1962) και
Μαρής Α. Εμπειρίκος (1871-1969),
γόνοι μιάς εκ των παλαιοτέρων ναυτικών
οικογενειών της Άνδρου.
Υιοί του πλοιάρχου **Ανδρέα Εμπειρίκου**.
Ασχολήθηκαν με το σιτεμπόριο στη
Ρουμανία και αργότερα ανέπτυξαν σπουδαία
εφοπλιστική δραστηριότητα.
Το 1908 ίδρυσαν μαζί με τους αδελφούς τους
Λεωνίδα και **Αντώνιο** τη ναυτιλιακή εταιρία
Υιοί Ανδρέα Εμπειρίκου με έδρα τη Σύρο
και το 1909 με έδρα τον Πειραιά
την Εθνική Ατμοπλοΐα της Ελλάδος,
η οποία εξελίχθηκε σε μία από τις
μεγαλύτερες εταιρίες της εποχής.
Κατά τη διάρκεια του πολέμου
απώλεσαν τα πλοία
ΩΡΩΠΟΣ, ΠΕΤΑΛΙΟΙ, ΣΑΡΩΝΙΚΟΣ,
ΕΥΟΪΚΟΣ, ΛΑΚΩΝΙΚΟΣ, ΚΟΡΙΝΘΙΑΚΟΣ,
ΠΑΓΑΣΗΤΙΚΟΣ ΙΙ, ΡΙΝΟΣ ΙΙ.
Ο Λεωνίδας Εμπειρίκος,
ήταν ο πρώτος πρόεδρος της
Ενώσεως Ελλήνων Εφοπλιστών, το 1916.

The owners **Michael A. Embiricos**
(1870-1962) and **Maris A. Embiricos**
(1871-1969), members of one of the
traditional shipping families of Andros.
Sons of Master Mariner **Andreas Embiricos**.
They were grain merchants in Romania and
later developed impressive shipping concerns.
In 1908, together with their brothers
Leonidas and **Antonios** founded in Syros,
the Andreas Embiricos Sons Shipping
Company and one year later, the Greek
Steamship Company, one of the most
important companies of that era. During
World War II, they lost their steamers,
OROPOS, PETALIOI, SARONIKOS,
EVOIKOS, LACONIKOS,
CORINTHIAKOS, PAGASITIKOS
and RINOS II. Leonidas Embiricos,
was the first chairman of the
Union of Greek Shipowners, in 1916.

Μαρής Ανδρέα Εμπειρίκος
Maris A. Embiricos

Γ. 7 ΔΕΞΑΜΕΝΟΠΛΟΙΑ Τ2

Με τη σειρά παράδοσής τους σε Ελληνες πλοιοκτήτες

By order of delivery to Greek shipowners

Ναυπηγήθηκε το 1944 από την Marinship Corporation.
Αρχικό όνομα **ELK HILLS**.
Παραδόθηκε στον Έλληνα πλοιοκτήτη του, **Σταύρο Γ. Λιβανό**,
στις **6 Ιανουαρίου 1948**
και νηολογήθηκε στον Πειραιά.
Πλοίαρχος ανέλαβε ο **Γεώργιος Γάφος**
και Α' Μηχανικός ο **Ευάγγελος Νομικός**.
Τον Ιούλιο του 1966 διαλύθηκε στο Χιράο.

Built in 1944 by Marinship Corporation.
Original name **ELK HILLS**.
Delivered to her Greek owner, **Stavros G. Livanos**,
on **6th January, 1948**
and registered at Piraeus.
Her Master was **Georgios Gafos**
and Chief Engineer **Evangelos Nomikos**.
She was scrapped in July, 1966 at Hirao.

FOTOFLITE, ASHFORD, KENT, UK

ΠΟΛΥΤΙΜΗ ΑΝΔΡΕΑΔΗΣ

Ναυπηγήθηκε το 1943
από την
Sun Shipbuilding
Dry Dock Company.
Αρχικό όνομα **FORT NIAGARA**.
Παραδόθηκε στον Έλληνα πλοιοκτήτη του,
Στρατή Γ. Ανδρεάδη,
στις **6 Ιανουαρίου 1948**
και νηολογήθηκε στη Χίο.
Πλοίαρχος ανέλαβε
ο **Ευστράτιος Παναγόπουλος**
και Α' Μηχανικός
ο **Νικόλαος Δρίτσας**.
Τον Μάρτιο του 1963
μετασκευάσθηκε
σε πλοίο μεταφοράς
χύδην φορτίου
στα Ναυπηγεία Σκαραμαγκά.
Διαλύθηκε το 1985.

Στιγμιότυπα από την παραλαβή του ΠΟΛΥΤΙΜΗ ΑΝΔΡΕΑΔΗ.
Στην πάνω φωτογραφία διακρίνονται
ο πλοιοκτήτης Στρατής Ανδρεάδης (τέταρτος από αριστερά)
και ο Πλοίαρχος Ευστράτιος Παναγόπουλος (πρώτος από αριστερά).

The delivery ceremony of POLYTIMI ANDREADIS.
Pictured on top photo are
the owner Stratis Andreadis (fourth from left)
and the Master Efstratios Panagopoulos (first from left).

252

POLYTIMI ANDREADIS

Built in 1943
by
Sun Shipbuilding
Dry Dock Company.
Original name **FORT NIAGARA**.
Delivered to her Greek owner,
Stratis G. Andreadis,
on **6th January, 1948**
and registered at Chios.
Her Master was
Efstratios Panagopoulos
and Chief Engineer
Nicolaos Dritsas.
In March, 1963
she was
converted
to a bulk carrier
by Hellenic Shipyards S.A.
She was scrapped in 1985.

A. DUNCAN, GRAVESEND

Το ΠΟΛΥΤΙΜΗ ΑΝΔΡΕΑΔΗ μετά από τη μετασκευή του.

POLYTIMI ANDREADIS after her convertion.

A. DUNCAN, GRAVESEND

Ναυπηγήθηκε το 1944 από την Kaiser Company.
Αρχικό όνομα **TUMACACORI**.
Παραδόθηκε στους Έλληνες πλοιοκτήτες του,
Υιούς Πέτρου Γουλανδρή,
στις **6 Ιανουαρίου 1948**
και νηολογήθηκε στον Πειραιά.
Τον Ιούνιο του 1951 επιμηκύνθηκε στη Βαλτιμόρη.
Το Νοέμβριο του 1955
μετασκευάσθηκε σε πλοίο μεταφοράς χύδην φορτίου.
Τον Οκτώβριο του 1963 διαλύθηκε στην Οσάκα.

Built in 1944 by Kaiser Company.
Original name **TUMACACORI**.
Delivered to her Greek owners,
Petros Goulandris Sons, on **6th January, 1948**
and registered at Piraeus.
In June, 1951
she was lenghtened in Baltimore.
In November, 1955
she was converted to a bulk carrier.
She was scrapped in October, 1963 at Osaka.

Ο πλοιοκτήτης Νικόλαος Γ. Νικολάου
και η μητέρα του Ζωγραφιά Γ. Νικολάου.

Shipowner Nicolaos G. Nicolaou
with his mother Zografia G. Nicolaou.

Ναυπηγήθηκε το 1944 από την Kaiser Company.
Αρχικό όνομα **W. L. R. EMMET**.
Παραδόθηκε στον Έλληνα πλοιοκτήτη του,
Νικόλαο Γ. Νικολάου,
στις **6 Ιανουαρίου 1948** και νηολογήθηκε στον Πειραιά.
Πλοίαρχος ανέλαβε ο **Γεράσιμος Μουσούρης**
και Α' Μηχανικός ο **Γεώργιος Θεολογίτης**.
Από το 1960 χρησιμοποιήθηκε
ως δεξαμενή καυσίμων στην Πύλο.
Τον Σεπτέμβριο του 1967 διαλύθηκε στη Σπέτζια.

Built in 1944 by Kaiser Company.
Original name **W. L. R. EMMET**.
Delivered to her Greek owner,
Nicolaos G. Nicolaou,
on **6th January, 1948** and registered at Piraeus.
Her Master was **Gerasimos Mousouris**
and Chief Engineer **Georgios Theologitis**.
From 1960 she was used
as a storage tank for bunkers at the port of Pylos.
She was scrapped in 1967 at Spezia.

Μέλη του πληρώματος του ΑΓΙΟΣ
ΓΕΩΡΓΙΟΣ V
το έτος 1954.
Διακρίνονται πάνω
αριστερά ο υποπλοίαρχος
Μιχαήλ Μ. Ροδιάδης,
η γυναίκα του Μαίρη,
ο ασυρματιστής Νικόλαος
Αντωνιάδης
(τρίτος επάνω από δεξιά) και,
κρατώντας το σωσίβιο, ο ναυτόπαις
Ιωάννης Λυριστής,
όλοι από την Κάσο.

Officers and crew
of AGIOS GEORGIOS V in 1954.
Pictured on top are
Chief Officer Michael M. Rodiadis
and his wife Mary,
the Radio Officer
Nicolaos Antoniadis
(top row, third from right) and
AB Ioannis Lyristis
(bottom row, in the middle),
all from the island of Kassos.

Ναυπηγήθηκε το 1943 από την Kaiser Company.
Αρχικό όνομα **GRANDE RONDE**.
Παραδόθηκε στον Έλληνα πλοιοκτήτη του, **Νικόλαο Δ. Λυκιαρδόπουλο**,
την **1η Μαρτίου 1948** και νηολογήθηκε στον Πειραιά.
Πλοίαρχος ανέλαβε ο **Δημήτριος Βαλλιάνος** και Α' Μηχανικός ο **Γεράσιμος Θεοδωράτος**.
Το 1960 πουλήθηκε στην εταιρία Leitch Transport Ltd.
και μετονομάστηκε **HILDA MARJANE**.
Τον Ιούλιο του 1961 μετασκευάσθηκε σε πλοίο μεταφοράς χύδην φορτίου.

Built in 1943 by Kaiser Company.
Original name **GRANDE RONDE**.
Delivered to her Greek owner, **Nicolaos D. Lykiardopulos**,
on **1st March, 1948** and registered at Piraeus.
Her Master was **Demetrios Vaglianos** and Chief Engineer **Gerasimos Theodoratos**.
In 1960 she was sold to Leitch Transport Ltd.
and renamed **HILDA MARJANE**.
In July, 1961 she was converted to a bulk carrier.

Ο πλοιοκτήτης **Νικόλαος Διονυσίου Λυκιαρδόπουλος** (1866-1963),
από την Κεφαλλονιά, δημιουργός ενός από τους
παλαιότερους ελληνικούς εφοπλιστικούς οίκους.
Άρχισε να ταξιδεύει σε ηλικία 14 ετών και εξελίχθη σε εμποροπλοίαρχο.
Πλοιάρχευσε σε πλοία του μεγάλου Έλληνα σιτέμπορου και εφοπλιστή
Παναγή Βαλλιάνου, ο οποίος τον βοήθησε
να αποκτήσει το πρώτο του πλοίο στα τέλη του 19ου αιώνα.
Από τα ιδρυτικά μέλη της Ενώσεως Ελλήνων Εφοπλιστών το 1916.
Ανέπτυξε πολύπλευρη επιχειρηματική δραστηριότητα,
πέρα από το ναυτιλιακό χώρο.
Κατά τη διάρκεια του Δευτέρου Παγκοσμίου Πολέμου,
απώλεσε τα ατμόπλοια ΚΑΤΕ και ΧΛΟΗ.

Shipowner **Nicolaos D. Lykiardopulos** (1866-1963),
from Cephalonia, founder of one of the
most respected Greek shipping establishments.
He went to sea at the age of fourteen and eventually
became a Master Mariner.
He served as Master on board the ships of leading grain merchant
and shipowner, **Panaghis Vaglianos,**
who assisted him with the purchase of his first steamer.
Founder member of the Union of Greek Shipowners in 1916.
He was also successful in various business activities apart from shipping.
During World War II,
he lost the steamers KATE and CHLOE.

Ο πλοίαρχος Μικές Καλλιμασιάς
Captain Mikes Kallimasias

Ο Α΄ Μηχανικός Κωνσταντίνος Σπανολιός
Chief Engineer Constantinos Spanolios

Ναυπηγήθηκε το 1943 από την Kaiser Company.
Αρχικό όνομα **WHITE OAK**.
Παραδόθηκε στους Έλληνες πλοιοκτήτες του,
Οικογένεια Ιωάννου Χανδρή, στις **12 Μαρτίου 1948**
και νηολογήθηκε στον Πειραιά.
Πλοίαρχος ανέλαβε ο **Μικές Καλλιμασιάς**
και Α' Μηχανικός ο **Κωνσταντίνος Σπανολιός**.
Τον Μάϊο του 1966 διαλύθηκε στο Κίλουνγκ.

Built in 1943 by Kaiser Company.
Original name **WHITE OAK**.
Delivered to her Greek owners, **John Chandris family**,
on **12th March, 1948** and registered at Piraeus.
Her Master was **Mikes Kallimasias**
and Chief Engineer **Constantinos Spanolios**.
She was scrapped in May, 1966 at Keelung.

Ναυπηγήθηκε το 1943 από την Kaiser Company.

Αρχικό όνομα **KLAMATH FALLS**.

Παραδόθηκε στον Έλληνα πλοιοκτήτη του, **Μάρκο Π. Νομικό**, στις **18 Μαρτίου 1948** και νηολογήθηκε στον Πειραιά.

Πλοίαρχος ανέλαβε ο **Δημήτριος Παρίσης** και Α' Μηχανικός ο **Αθανάσιος Αμπαλόγλου**.

Το 1955 πουλήθηκε στην εταιρία Mondonedo Cia. Naviera S.A.

και μετονομάστηκε **ΑΙΤΩΛΙΚΟΣ**.

Το Νοέμβριο του 1956 μετασκευάσθηκε σε πλοίο μεταφοράς χύδην φορτίου

και μετονομάστηκε **ANDROS VEGA**.

Το 1962 πουλήθηκε στην εταιρία Marcelebro Cia. Naviera S.A.

και μετονομάστηκε **ΣΚΥΡΟΣ**.

Στις 30 Ιουνίου 1962, ενώ έπλεε κενό φορτίου από το Κόμπε στο Λος Άντζελες, προσάραξε στην Τοσίμα.

Θεωρήθηκε Τεκμαρτή Ολική Απώλεια και διαλύθηκε στην Ιαπωνία.

FOTOFLITE, ASHFORD, KENT, UK

PETRAKIS NOMIKOS III

Built in 1943 by Kaiser Company.
Original name **KLAMATH FALLS**.
Delivered to her Greek owner, **Markos P. Nomikos**, on **18th March, 1948** and registered at Piraeus.
Her Master was **Demetrios Parisis** and Chief Engineer **Athanassios Abaloglou**.
In 1955 she was sold to Mondonedo Cia. Naviera S.A.
and renamed **AETOLICUS**.
In November, 1956 she was converted to a bulk carrier
and renamed **ANDROS VEGA**.
In 1962 she was sold to Marcelebro Cia. Naviera S.A.
and renamed **SKYROS**.
In June 30th, 1962 she grounded at Toshima, while she was sailing in ballast from Kobe to Los Angeles.
She was declared a Constructive Total Loss and was scrapped in Japan.

Το 1985, τα τρία εναπομείναντα από τα 107 ιστορικά πλοία,
τα ΓΕΩΡΓΙΟΣ Φ. ΑΝΔΡΕΑΔΗΣ,
ΑΛΕΞΑΝΔΡΟΣ ΚΟΡΥΖΗΣ,
και ΠΟΛΥΤΙΜΗ ΑΝΔΡΕΑΔΗ,
οδηγήθηκαν σε διαλυτήρια της Γιουγκοσλαβίας,
αφού, προηγουμένως, είχαν παραμείνει για περισσότερα από δέκα
χρόνια παροπλισμένα στον κόλπο της Ελευσίνας.
Το ΓΕΩΡΓΙΟΣ Φ. ΑΝΔΡΕΑΔΗΣ, ήταν το πρώτο Λίμπερτυ
που παραδόθηκε στους Έλληνες και, συμπτωματικά,
το τελευταίο που διαλύθηκε. Η απόκτησή του σηματοδότησε
την αρχή μιας εποχής και η διάλυσή του, το τέλος της.

Αλλά και το ξεκίνημα μιας άλλης...

*Σήμερα, οι Έλληνες ελέγχουν περισσότερα από 3.200 πλοία,
μεταφορικής ικανότητας 130 εκατομμυρίων τόννων dwt.
Αυτή ισοδυναμεί, περίπου, με την μεταφορική ικανότητα
13.000 πλοίων Λίμπερτυς.*

In 1985, the last three out of the 107 historic ships,
the GEORGIOS F. ANDREADIS,
ALEXANDROS KORYZIS
and POLYTIMI ANDREADIS,
were scrapped in Yugoslavia, after being laid up
for over ten years in the bay of Eleusis.
The GEORGIOS F. ANDREADIS was the first
Liberty delivered to the Greeks and, by
coincidence, the last to be scrapped.
Its acquisition marked the beggining of an era
and its scrapping the end of it.

And the beggining of another....

*Today, the Greeks control over 3,200 ocean
going ships of 130 million tons dwt.
This equals the carrying capacity
of approximately 13,000 Liberty ships.*

ΕΥΡΕΤΗΡΙΟ

Αγγλόφωνες εκδόσεις-English language publications.

1. *The Liberty Ships*, L.A. Sawyer and W.H. Mitchell, Great Britain, Lloyd's of London Press Ltd., 1985.

2. *Liberty Ships in Peacetime*, I.G. Stewart, Australia, Ian Stewart Publications, 1992.

3. *Lloyd's War Losses, The Second World War*, Lloyd's of London Press Ltd., 1989.

Ελληνόφωνες εκδόσεις-Greek language publications.

1. *Η Ιστορία της Οικογένειας των Εμπειρίκων*, Αύγουστος Ν. Εμπειρίκος, Αθήνα, 1983.

2. *Στο Πέρασμα μιας Ζωής*, Ιωάννης Δ. Ζαννάρας, Αθήνα, 1990.

3. *Το Χρονικό της Ιθάκης*, Γεράσιμος Κολαΐτης, Ναυτικό Μουσείο της Ελλάδος, 1988.

4. *Κασιώτες Καραβοκύρηδες στον 19ο και 20ο αιώνα*, Μίνως Δ. Κομνηνός, Αθήνα, 1990.

5. *Κασιώτες Ναυτίλοι*, Μίνως Δ. Κομνηνός, Αθήνα, 1993.

6. *Το Χρονικό των Οινουσσών*, Ανδρέας Γ. Λαιμός, Αθήνα, 1961.

7. *Η Εμπορική Ναυτιλία της Χίου*, Ανδρέας Γ. Λαιμός, Αθήνα, 1963.

8. *Νεοέλληνες Αειναύται*, Ανδρέας Γ. Λαιμός, Αθήνα, 1971.

9. *Το Ελληνικόν Εμπορικόν Ναυτικόν κατά τον Τελευταίον Παγκόσμιον Πόλεμον*, Επαμ. Μπαμπούρης, Ναυτικόν Μουσείον της Ελλάδος, 1986.

10. *Ο Ατμήρης Εμπορικός Στόλος της Άνδρου*, Λεωνίδας Ε. Μπίστης, Ένωση Ανδρίων, 1982.

11. *Η Ναυτική Ιθάκη*, Χρήστος Ε. Ντούνης, Αθήνα, 1988.

12. *Τα Λίμπερτυ και οι Έλληνες*, Α.Ι. Τζαμτζής, Αθήνα, Βιβλιοπωλείο της Εστίας, 1984.

13. *Πλους 75 ετών, Το Χρονικό της Ενώσεως Ελλήνων Εφοπλιστών*, Γιώργος Μ. Φουστάνος, Πειραιάς, 1991.

14. Περιοδικό *Ναυτικά Χρονικά*.

15. Περιοδικό *Αργώ*.